Wilhelm Hermann.
24. December 1949.

VICTORIA

KNUT HAMSUN

VICTORIA

Die Geschichte einer Liebe

PAUL LIST VERLAG

MÜNCHEN - LEIPZIG - FREIBURG i. BR.

Berechtigte Übersetzung von J. Sandmeier und S. Angermann
Einbandzeichnung von Heinrich Hussmann
Umschlagzeichnung von Alfred Finsterer

1949 · 416.— 425. Tausend
Alle Rechte vorbehalten. Copyright 1948 by Paul List Verlag München
Printed in Germany. Schrift Garamond-Antiqua
Satz und Druck: Presse-Druck GmbH., Augsburg

Der Sohn des Müllers ging umher und grübelte. Er war ein kräftiger vierzehnjähriger Bursche, braungebrannt von Sonne und Wind und voll der verschiedensten Gedanken.

Wenn er erwachsen war, wollte er Zündholzmacher werden. Das war so wunderbar gefährlich, keiner würde dann wagen, ihm die Hand zu geben, weil er Schwefel an den Fingern haben könnte. Und um dieses unheimlichen Handwerkes willen würde er ein großes Ansehen unter seinen Kameraden genießen.

Er sah sich nach seinen Vögeln im Walde um. Er kannte sie ja alle, wußte, wo ihre Nester lagen, verstand ihre Schreie und antwortete ihnen mit verschiedenen Zurufen. Mehr als einmal hatte er ihnen kleine Mehlkugeln aus des Vaters Mühle gebracht.

Alle Bäume am Wege waren seine guten Bekannten. Im Frühjahr hatte er das Harz von ihnen abgezapft, und im Winter war er ihnen wie ein kleiner Vater gewesen, hatte sie vom Schnee befreit, ihre Äste wieder aufgerichtet. Und sogar oben in dem verlassenen Granitbruch war kein Stein ihm fremd, in viele hatte er Buchstaben und Zeichen eingehauen und sie aufgestellt, sie geordnet wie eine Gemeinde um den Pfarrer. Die seltsamsten Dinge gingen in diesem alten Granitbruch vor sich.

Er bog ab und kam zum Teich hinunter. Die Mühle war im Gange, ein ungeheurer und dumpfer Lärm umfing ihn. Er war gewohnt, hier umherzuwandern und mit sich selbst zu reden; jede

Schaumperle hatte gleichsam ihr eigenes kleines Leben, über das etwas zu sagen war, und dort bei der
Schleuse fiel das Wasser jäh ab und sah aus wie ein
glänzendes Gewebe, das hier zum Trocknen hing.
Im Teich unterhalb des Wasserfalles waren Fische;
oft genug hatte er hier mit seiner Rute gestanden.

Wenn er erwachsen war, wollte er Taucher werden. Das wollte er. Da stieg er dann vom Deck
eines Schiffes ins Meer hinunter und kam in fremde
Reiche und Länder, da wogten große, seltsame
Wälder, auf dem tiefsten Grund aber lag ein Schloß
aus Korallen. Und aus einem Fenster winkt ihm
die Prinzessin und sagt: Komm herein!

Da hörte er hinter sich seinen Namen; der Vater
stand da und rief Johannes.

Man hat aus dem Schloß nach dir geschickt. Du
sollst die jungen Leute zur Insel hinüberrudern!

Er beeilte sich. Eine neue und große Gnade war
dem Sohn des Müllers widerfahren.

Der „Herrenhof" sah in der grünen Landschaft
wie ein kleines Schloß aus, ja wie ein unwahrschein-
licher Palast in der Einsamkeit. Das Haus war ein
weißgestrichener Holzbau mit vielen Bogenfenstern
in den Wänden und auf dem Dach, und von dem
runden Turm wehte die Flagge, wenn Gäste auf dem
Hofe waren. Die Leute nannten es das Schloß. Vor
dem Herrenhof aber lag auf der einen Seite die
Bucht, und auf der anderen waren die großen Wälder; in weiter Ferne sah man einige kleine Bauern-
häuser.

Johannes ging zur Landungsbrücke und half den
jungen Leuten ins Boot. Er kannte sie von früher,
es waren die Kinder des „Schloßherrn" und ihre

Kameraden aus der Stadt. Alle trugen hohe, feste Stiefel, mit denen sie durchs Wasser waten konnten, Victoria aber, die nur kleine Spangenschuhe hatte und außerdem nicht älter als zehn Jahre war, mußte an Land getragen werden, als sie zur Insel kamen.

Soll ich dich tragen? fragte Johannes.

Nein, ich! sagte der Stadtherr Otto, ein Mann im Konfirmandenalter, und nahm sie in seine Arme.

Johannes stand da und sah zu, wie sie weit aufs Ufer hinaufgetragen wurde, und hörte sie danken. Dann sagte Otto zurück:

Ja, du gibst jetzt wohl aufs Boot acht, — wie heißt er?

Johannes, antwortete Victoria. Ja, er gibt aufs Boot acht.

Er blieb zurück. Die andern gingen mit ihren Körben in den Händen tiefer in die Insel hinein, um Eier zu sammeln. Eine Weile stand er da und grübelte; gerne wäre er mit den anderen gegangen, das Boot hätten sie ja einfach an Land ziehen können. Zu schwer? Es war nicht zu schwer. Er packte das Boot und zog es ein Stück weit herauf.

Er hörte das Lachen und Sprechen der jungen Gesellschaft, die sich entfernte. Gut, lebt wohl einstweilen. Aber sie hätten ihn wohl mitnehmen können. Er wußte Nester, zu denen er sie hätte hinführen können, seltsame, tief versteckte Löcher im Felsen, in denen Raubvögel mit Borsten auf dem Schnabel wohnten. Einmal hatte er auch ein Hermelin gesehen.

Er schob das Boot wieder ins Wasser und fing an, zur anderen Seite der Insel zu rudern. Als er ein gutes Stück weit gekommen war, wurde ihm zugerufen:

Rudere zurück. Du schreckst die Vögel auf.

Ich wollte euch nur zeigen, wo das Hermelin ist? anwortete er fragend. Er wartete ein wenig. Und dann könnten wir das Schlangenloch ausräuchern? Ich habe Zündhölzer dabei.

Er bekam keine Antwort. Da drehte er das Boot um und ruderte zum Landungsplatz zurück. Dort zog er das Boot an Land.

Wenn er einmal erwachsen war, wollte er vom Sultan eine Insel kaufen und jeden Zutritt dazu verbieten. Ein Kanonenschiff sollte seine Küsten beschützen. Ew. Herrlichkeit, würden die Sklaven ihm melden, draußen zerschellt ein Boot auf dem Riff, an dem es gestrandet ist, die jungen Menschen darauf kommen um. Laßt sie umkommen! antwortet er. Ew. Herrlichkeit, sie rufen um Hilfe, noch können wir sie retten, und es ist eine weißgekleidete Frau dabei. Rettet sie! befiehlt er mit Donnerstimme. So sieht er nach vielen Jahren die Kinder des Schloßherrn wieder, und Victoria wirft sich ihm zu Füßen und dankt ihm für ihre Rettung. Nichts zu danken, das war nur meine Pflicht, antwortet er; geht frei umher in meinen Landen, wohin Ihr wollt. Und dann läßt er ihnen die Tore des Schlosses öffnen und bewirtet sie aus goldenen Schüsseln, und dreihundert braune Sklavinnen singen und tanzen die ganze Nacht hindurch. Als aber die Schloßkinder wieder fortreisen wollen, da vermag Victoria es nicht, sie wirft sich vor ihm in den Staub und schluchzt, denn sie liebt ihn: Laßt mich hierbleiben, verstoßt mich nicht, Ew. Herrlichkeit, macht mich zu einer Eurer Sklavinnen . . .

Er beginnt hastig in die Insel hineinzugehen, von Erregung durchschauert. Jawohl, er wollte die Schloßkinder befreien. Wer weiß, vielleicht hatten sie sich jetzt auf der Insel verirrt? Vielleicht hing Victoria zwischen zwei Felsen fest und konnte nicht loskommen? Er brauchte nur den Arm auszustrekken, um sie zu befreien.

Die Kinder aber sahen ihn erstaunt an, als er kam. Hatte er das Boot verlassen?

Ich mache dich für das Boot verantwortlich, sagte Otto.

Ich könnte euch zeigen, wo es Himbeeren gibt? fragte Johannes.

Schweigen in der Gesellschaft. Victoria griff sofort zu.

Nein? Wo denn?

Aber der Stadtherr überwand sich rasch und sagte: Damit können wir uns jetzt nicht befassen.

Johannes sagte:

Ich weiß auch, wo man Muscheln finden kann. Neues Schweigen.

Sind Perlen darin? fragte Otto.

Denkt, wenn Perlen drin wären! rief Victoria.

Johannes antwortete, nein, das wüßte er nicht; aber die Muscheln lägen weit draußen im weißen Sand, man müsse ein Boot haben und nach ihnen tauchen.

Da wurde der Vorschlag erst recht verlacht und Otto sagte:

Ja, du siehst mir wie ein Taucher aus.

Johannes begann schwer zu atmen.

Wenn ihr wollt, so kann ich ja auf den Berg dort hinaufgehen und einen schweren Stein ins Meer hinabrollen, meinte er.

Wozu?

Nein, nur so. Aber Ihr könntet dann zusehen. Aber auch dieser Vorschlag wurde nicht angenommen, und Johannes schwieg beschämt. So fing er an, fern von den anderen, auf einer anderen Seite der Insel nach Eiern zu suchen.

Als die ganze Gesellschaft wieder unten beim Boot versammelt war, hatte Johannes viel mehr Eier als die anderen, er trug sie vorsichtig in der Mütze.

Wie ist es möglich, daß du so viele gefunden hast? fragte der Stadtherr.

Ich weiß, wo die Nester sind, antwortete Johannes glücklich. Jetzt lege ich sie zu den deinen, Victoria.

Halt! schrie Otto, warum?

Alle sahen ihn an. Otto deutete auf die Mütze und fragte:

Wer steht mir dafür ein, daß die Mütze sauber ist?

Johannes sagte nichts. Sein Glück brach plötzlich ab. Dann ging er mit den Eiern langsam wieder in die Insel zurück.

Was hat er denn? Wo geht er hin? sagt Otto ungeduldig.

Wo gehst du hin, Johannes? ruft Victoria und läuft ihm nach.

Er bleibt stehen und antwortet still:

Ich lege die Eier in die Nester zurück.

Eine Weile standen sie da und sahen einander an. Und heute nachmittag gehe ich in den Steinbruch, sagte er.

Sie antwortete nicht.

Dann könnte ich dir die Höhle zeigen.

Ja, aber ich habe so Angst, antwortete sie. Du sagtest, sie sei so dunkel.

Da lächelte Johannes trotz seinem großen Kummer und erwiderte mutig:

Ja, aber ich bin ja bei dir.

Seit jeher hatte er da oben in dem alten Granitbruch gespielt. Die Leute hatten ihn reden und arbeiten gehört, obwohl er allein war; bisweilen war er Pfarrer gewesen und hatte Gottesdienst abgehalten.

Diese Stätte war seit langer Zeit verlassen, jetzt wuchs Moos auf den Steinen, und die Spuren der Bohr- und Sprenglöcher waren beinah verwischt. Aber in der verborgenen Höhle hatte der Sohn des Müllers aufgeräumt und sie mit vieler Kunst ausgeschmückt, und dort wohnte er als Häuptling der tapfersten Räuberbande der Welt.

Er schellt mit einer silbernen Glocke. Ein kleines Männchen, ein Zwerg mit einer Diamantenspange an der Kappe, hüpft herein. Das ist der Diener. Er verbeugt sich bis zur Erde. Wenn Prinzessin Victoria kommt, so führe sie zu mir! sagt Johannes mit lauter Stimme. Wieder verbeugt sich der Zwerg bis zum Boden und verschwindet. Johannes streckt sich bequem auf dem weichen Diwan aus und denkt nach. Zu jenem Sitz dort wollte er sie führen und ihr köstliche Gerichte auf silbernen und goldenen Schüsseln reichen; ein flammender Scheiterhaufen sollte die Höhle beleuchten. Hinter dem schweren goldbrokatenen Vorhang im Innern der Höhle würde ihr Lager bereitet werden, und zwölf Ritter sollten Wache stehen . . .

Johannes erhebt sich, kriecht aus der Höhle und lauscht. Unten auf dem Steig raschelt es in Ästen und Laub.

Victoria! ruft er.

Ja, antwortet es.

Er geht ihr entgegen.

Ich wage es fast nicht, sagt sie.

Er zuckt mit den Achseln und antwortet:

Ich bin eben dort gewesen. Ich komme jetzt von dort.

Sie gehen in die Höhle. Er weist ihr einen Platz auf einem Stein an und sagt:

Auf diesem Stein hat der Riese gesessen.

Hu, sag nichts mehr, erzähl mir nichts! Hattest du nicht Angst?

Nein.

Ja, aber du sagtest doch, er habe nur ein Auge; aber nur die Trolle sind einäugig.

Johannes überlegte.

Er hatte zwei Augen, aber auf dem einen war er blind. Das sagte er selbst.

Was sagte er noch? Nein, erzähl es nicht!

Er fragte, ob ich bei ihm dienen wollte.

Aber das wolltest du wohl nicht? Gott bewahre dich.

Doch, ich antwortete nicht nein. Nicht geradezu nein.

Bist du verrückt! Willst du im Berg eingeschlossen werden?

Ja, ich weiß nicht. Auf der Erde ist es auch nicht schön.

Pause.

Seit diese Buben aus der Stadt gekommen sind, bist du nur noch mit ihnen zusammen, sagt er.

Wiederum Pause.

Johannes fährt fort:

Aber ich bin stärker und kann dich besser tragen und aus dem Boot heben als irgendeiner von denen. Ich bin sicher, daß ich es fertigbrächte, dich eine ganze Stunde lang zu halten. Schau her.

Er nahm sie in die Arme und hob sie auf. Sie umfaßte seinen Nacken.

So, jetzt reicht es schon.

Er setzte sie nieder. Sie sagte:

Ja, aber Otto ist auch stark. Und er hat sich auch schon mit erwachsenen Leuten geprügelt.

Zweifelnd fragt Johannes:

Mit erwachsenen Leuten?

Ja, mit erwachsenen. In der Stadt.

Pause. Johannes denkt nach.

Ja, ja, dann ist es also damit vorbei, sagt er. Ich weiß, was ich tue.

Was tust du?

Ich verdinge mich beim Riesen.

Nein, bist du denn verrückt, hör doch! schreit Victoria.

Ach wo, mir ist alles gleich. Ich tue es.

Victoria sinnt auf einen Ausweg.

Ja, aber vielleicht kommt er jetzt gar nicht wieder?

Johannes antwortet:

Er kommt.

Hierher? fragt sie rasch.

Ja.

Victoria steht auf und zieht sich nach dem Ausgang zurück.

Komm, gehen wir lieber wieder hinaus.

Es eilt nicht, sagt Johannes, der selbst bleich geworden ist. Er kommt nicht vor heute nacht. Er kommt um die Mitternachtsstunde.

Victoria ist beruhigt und will wieder ihren Platz einnehmen. Aber Johannes fällt es schwer, des Unheimlichen, das er selbst heraufbeschworen hat, Herr zu werden, es wird ihm zu gefährlich in der Höhle, und er sagt:

Wenn du wirklich wieder hinausgehen willst — ich habe draußen einen Stein mit deinem Namen darauf. Den könnte ich dir zeigen.

Sie kriechen aus der Höhle und suchen den Stein. Victoria ist stolz und glücklich darüber. Johannes ist gerührt, er möchte weinen und sagt:

Wenn ich jetzt fort bin und du siehst ihn manchmal an, dann mußt du an mich denken. Mir einen freundlichen Gedanken schenken.

Ja, bestimmt, antwortet Victoria. Aber du kommst doch wohl wieder?

Ach, das weiß Gott allein. Nein, ich werde wohl kaum wiederkommen.

Sie fingen an heimzuwandern. Johannes ist dem Weinen nah.

Ja, leb wohl, sagt Victoria.

Nein, ich kann noch ein Stückchen weiter mitgehen.

Aber daß sie ihm so herzlos, je eher desto lieber, Lebewohl sagen kann, macht ihn bitter, läßt in seinem verwundeten Gemüt den Zorn aufsteigen. Er bleibt plötzlich stehen und sagt voll ehrlicher Erregung: Aber das will ich dir sagen, Victoria, du wirst keinen bekommen, der so gut gegen dich sein wird, wie ich es gewesen wäre. Das will ich dir nur sagen.

Ja, aber Otto ist auch gut, wendet sie ein.

Jaja, nimm ihn nur.

Schweigend gehen sie einige Schritte weiter.

Ich werde es sicher großartig bekommen. Hab nur keine Angst. Denn du weißt noch nicht, welchen Lohn ich erhalten werde.

Nein, was erhältst du als Lohn?

Die Hälfte des Reiches. Doch das ist erst das eine.

Nein, so etwas!

Und dann bekomme ich die Prinzessin.

Victoria blieb stehen.

Das ist nicht wahr, oder?

Doch, das sagte er.

Pause. Victoria murmelt vor sich hin:

Wie sie wohl aussehen mag?

Aber du lieber Gott, sie ist schöner als irgendein Mensch auf Erden. Das weiß man doch schon seit jeher.

Victoria ist bedrückt.

Willst du sie denn haben? fragt sie.

Ja, antwortet er, es wird wohl so kommen. Als das Victoria wirklich nahegeht, fügt er hinzu: Aber es kann schon sein, daß ich einmal wiederkehre. Daß ich einmal einen Ausflug auf die Erde mache.

Ja, aber nimm sie dann nicht mit, bat sie. Wozu willst du sie dabei haben?

Nein, ich kann auch allein kommen.

Willst du mir das versprechen?

O ja, das kann ich versprechen. Was machst du dir übrigens daraus? Ich kann doch nicht erwarten, daß du dir etwas daraus machst.

Das darfst du nicht sagen, hörst du, antwortet Victoria. Ich bin sicher, daß sie dich nicht so lieb hat wie ich.

Eine warme Freude durchbebt sein junges Herz. Am liebsten wäre er vor Freude und Beschämung über ihre Worte in die Erde gesunken. Er wagte nicht, sie anzublicken, er sah weg. Dann hob er einen Zweig vom Boden auf, nagte die Rinde ab und schlug sich mit dem Zweig in die Hand. Schließlich fing er in seiner Verlegenheit zu pfeifen an.

Ja, ja, ich muß wohl heimgehen, sagt er.

Ja, leb wohl, antwortet sie und reicht ihm die Hand.

II

Der Sohn des Müllers reiste fort. Lange blieb er weg, er ging in die Schule und lernte sehr viel, wuchs, wurde groß und stark und bekam auf der Oberlippe einen Flaum. Es war so weit in die Stadt, die Reise hin und zurück so teuer, viele Jahre lang ließ der sparsame Müller seinen Sohn Sommer und Winter in der Stadt. Er studierte die ganze Zeit.

Inzwischen war ein erwachsener Mann aus ihm geworden, er war etwa achtzehn, zwanzig Jahre alt.

Da ging er eines Nachmittags im Frühling vom Dampfschiff an Land. Auf dem Schloß war die Flagge gehißt, für den Sohn, der mit dem gleichen Schiff ebenfalls in die Ferien heimkam; man hatte ihm einen Wagen an die Landungsbrücke entgegengeschickt. Johannes grüßte den Schloßherrn, die Schloßherrin und Victoria. Wie groß und froh war Victoria geworden! Sie beantwortete seinen Gruß nicht.

Er nahm die Mütze noch einmal ab und hörte sie ihren Bruder fragen:

Du, Ditlef, wer grüßt denn da?

Der Bruder antwortete:

Das ist Johannes, Johannes Müller.

Sie warf ihm noch einmal einen Blick zu; aber nun schämte er sich, noch einmal zu grüßen. Dann fuhr der Wagen fort.

Johannes begab sich nach Hause.

Mein Gott, wie lustig und klein doch die Stube war! Er konnte nicht aufrecht durch die Türe gehen. Die Eltern empfingen ihn mit einem Willkommenstrunk. Eine große Erregung bemächtigte sich seiner, alles war so rührend und lieb, Vater und Mutter empfingen ihn so grau und gut, eins nach dem andern reichte ihm die Hand und hieß ihn zu Hause willkommen.

Noch am selben Abend ging er umher und besah sich alles, war bei der Mühle, beim Steinbruch und besuchte den Fischplatz, lauschte mit Wehmut den vertrauten Vögeln, die in den Bäumen schon ihre Nester bauten und dann und wann zu dem riesigen Ameisenhaufen im Wald hinüberflogen. Die Ameisen waren fort, der Haufen ausgestorben. Er wühlte in dem Haufen, es war kein Leben mehr darin. Während er so umherging, bemerkte er, daß der Wald des Schloßherrn stark ausgeholzt worden war.

Kennst du dich hier wieder aus? fragte der Vater im Scherz. Hast du deine alten Drosseln wieder getroffen?

Nicht alles ist so wie früher. Der Wald ist ausgeholzt.

Der gehört dem Schloßherrn, antwortete der Vater. Es ist nicht unsere Sache, seine Bäume zu zählen. Ein jeder kann Geld brauchen, der Schloßherr braucht viel Geld.

Tage kamen und gingen, milde, liebe Tage, merkwürdige Stunden der Einsamkeit, mit zarten Erinnerungen aus den Kinderjahren, ein Zurückgerufenwerden zu Himmel und Erde, zur Luft und zu den Bergen.

Er ging den Weg zum Schloß hinüber. Am Morgen war er von einer Wespe gestochen worden, und seine Oberlippe war geschwollen; wenn er jetzt jemand träfe, würde er grüßen und sofort weitergehen. Er traf niemand. Im Schloßgarten sah er eine Dame; als er näher kam, grüßte er tief und ging vorbei. Es war die Schloßherrin. Er fühlte noch wie in alten Tagen das Herz klopfen, wenn er am Schloß vorbeiging. Die Achtung vor dem großen Haus, vor den vielen Fenstern, vor der strengen, feinen Persönlichkeit des Schloßherrn saß ihm noch im Blut.

Er nahm den Weg zur Landungsbrücke.

Da begegnete er plötzlich Ditlef und Victoria. Das war ihm unangenehm, sie konnten ja glauben, er sei ihnen nachgegangen. Außerdem hatte er eine geschwollene Oberlippe. Er verlangsamte seinen Schritt, ungewiß, ob er weitergehen sollte, aber er ging doch weiter. Schon von weitem grüßte er und behielt die Mütze in der Hand, während er vorbeiging. Stumm beantworteten die beiden seinen Gruß und schritten langsam vorüber. Victoria sah ihn ganz offen an; ihr Gesichtsausdruck veränderte sich ein wenig.

Johannes ging weiter, zum Kai hinunter; eine Unruhe hatte ihn ergriffen, sein Gang wurde nervös. Nein, wie groß Victoria geworden war! Vollkommen erwachsen, herrlicher als je zuvor. Ihre Augenbrauen liefen über der Nase beinahe zusammen, sie waren wie zwei feine samtene Linien. Die Augen waren dunkler geworden, sehr dunkelblau.

Als er nach Hause ging, schlug er einen Weg ein, der weit außerhalb des Schloßgartens durch den Wald führte. Niemand sollte von ihm sagen können, daß er den Schloßkindern nachliefe. Er kam auf eine Anhöhe, suchte sich einen Stein und setzte sich. Die Vögel musizierten wild und leidenschaftlich, lockten, suchten einander, flogen mit Zweigen im Schnabel umher. Ein süßlicher Geruch von Erde, sprießendem Laub und verfaulenden Baumstämmen lag in der Luft.

Er war auf Victorias Weg geraten, sie kam ihm von der entgegengesetzten Seite gerade entgegen.

Ein hilfloser Zorn packte ihn, er wünschte sich weit, weit fort; diesmal mußte sie ja selbstverständlich glauben, daß er ihr nachgegangen sei. Sollte er nun wieder grüßen? Vielleicht konnte er nach der anderen Seite sehen, und noch dazu hatte er diesen Wespenstich.

Aber als sie nahe genug herangekommen war, erhob er sich und zog die Mütze. Sie lächelte und nickte.

Guten Abend. Willkommen daheim, sagte sie.

Wieder schienen ihre Lippen ein wenig zu beben; aber rasch gewann sie ihre Ruhe wieder zurück.

Er sagte:

Das sieht nun ein wenig sonderbar aus, aber ich wußte nicht, daß ich dich hier treffen würde.

Nein, das wußten Sie nicht, antwortete sie. Es war ein Einfall von mir, es kam mir so der Gedanke, hierher zu gehen.

Au! er hatte du gesagt.

Wie lange bleiben Sie nun zu Hause? fragte sie.

Bis zum Ende der Ferien.

Nur mit Mühe konnte er ihr antworten, sie war plötzlich so weit fort. Weshalb hatte sie ihn dann angesprochen?

Ditlef sagt, Sie seien so tüchtig, Johannes. Sie machten so gute Prüfungen. Und dann sagt er, daß Sie Gedichte schreiben; ist das wahr?

Er antwortete kurz und wand sich dabei:

Ja, selbstverständlich. Das tun alle.

Nun würde sie wohl bald gehen, denn sie sagte nichts mehr.

Hat man so etwas schon gesehen, mich hat heute eine Wespe gestochen, sagte er und zeigte ihr seinen Mund. Deshalb sehe ich so aus.

Sie sind eben zu lange fort gewesen, die Wespen hier kennen Sie nicht mehr.

Es war ihr gleichgültig, ob er von einer Wespe entstellt worden war oder nicht. Jawohl. Da stand sie und drehte auf ihrer Schulter einen roten Sonnenschirm mit goldenem Knopf am Stock, und nichts ging ihr nahe. Er hatte doch mehr als einmal das gnädige Fräulein auf seinen Armen getragen.

Ich kenne die Wespen auch nicht wieder, antwortete er; früher waren sie meine Freundinnen.

Sie aber verstand den tiefen Sinn dieser Worte nicht, sie antwortete nicht Oh, und es lag ein so tiefer Sinn darin.

Ich kenne nichts mehr wieder. Sogar der Wald ist ausgeholzt.

Ein leises Zucken lief über ihr Gesicht.

Dann können Sie hier vielleicht nicht dichten, sagte sie. Stellen Sie sich vor, wenn Sie einmal ein Gedicht an mich machen würden! Nein, was sage ich da! Da können Sie hören, wie wenig ich davon verstehe.

Er sah zur Erde, erregt und stumm. Sie machte sich in freundlicher Weise über ihn lustig, sprach überlegen und beobachtete, welche Wirkung das hatte. Verzeihung, er hatte seine Zeit nicht nur mit Schreiben vergeudet, er hatte mehr gelernt, als die meisten . . .

Ja, ja, wir treffen uns wohl noch. Leben Sie wohl einstweilen.

Er zog die Mütze und ging, ohne etwas zu antworten.

Wenn sie wüßte, daß er die Gedichte alle miteinander, sogar das an die Nacht, sogar das an den Moorgeist, an sie und an keine andere gerichtet hatte! Das sollte sie niemals erfahren.

Am Sonntag kam Ditlef und wollte ihn mit hinüber zur Insel haben. Ich soll wieder den Ruderknecht machen, dachte er. Er kam mit. An der Landungsbrücke waren einige sonntagsmüßige Menschen, sonst war alles so ruhig, und die Sonne schien warm vom Himmel herab. Plötzlich erklangen Töne weit draußen, sie kamen über das Wasser, von den Inseln; in großem Bogen schwang das Postschiff herein bis an die Brücke, es hatte Musik an Bord.

Johannes machte das Boot los und setzte sich an die Ruder. Er war in einer weichen und wogenden Stimmung, dieser helle Tag und die Musik auf dem Schiff webten einen Schleier aus Blumen und goldenen Ähren vor seine Augen.

Warum kam Ditlef nicht? Er stand an Land und sah die Menschen und das Schiff an, als habe er nichts anderes mehr vor. Johannes dachte: länger sitze ich jetzt nicht mehr an den Rudern, ich gehe an Land. Er schickte sich an, das Boot zu wenden.

Da sieht er plötzlich einen weißen Schimmer vor den Augen und hört ein Klatschen auf dem Wasser; ein verzweifelter, vielstimmiger Schrei erhob sich vom Schiff und von den Leuten an Land, und eine Menge Hände und Augen deuteten nach der Stelle, wo das Weiße verschwunden war. Die Musik brach sofort ab.

In einem Augenblick war Johannes zur Stelle. Er handelte vollständig instinktmäßig, ohne Überlegung, ohne Vorsatz. Er hörte nicht, daß die Mutter oben auf dem Schiff schrie: mein Kind, mein Kind! und er sah auch keine Menschen mehr. Ohne weiteres sprang er aus dem Boot und tauchte unter.

Einen Augenblick lang war er verschwunden, eine Minute lang; man sah, wie an der Stelle, wo er hineingesprungen war, das Wasser kochte, und man begriff, daß er arbeitete. Auf dem Schiff dauerte der Jammer an.

Da tauchte er wieder auf, ein wenig weiter draußen, mehrere Klafter von der Unglücksstelle entfernt. Man schrie ihm zu und deutete wie rasend: Nein, hier war es, hier war es!

Und er tauchte wieder.

Von neuem eine qualvolle Spanne Zeit, ununterbrochenes Wehklagen einer Frau und eines Mannes auf Deck, die die Hände rangen. Ein anderer Mann sprang vom Schiff hinab, der Steuermann, der Jacke und Stiefel abgeworfen hatte. Sorgfältig suchte er die Stelle ab, wo das Mädchen untergegangen war, und alle setzten ihre Hoffnung auf ihn.

Da sah man wieder Johannes' Kopf über der Wasserfläche, noch weiter draußen als zuvor, viele Klafter weiter draußen. Er hatte seine Mütze verloren, sein Kopf glänzte wie der eines Seehundes in der Sonne. Man erkannte, daß er mit etwas kämpfte, er schwamm mühsam, seine eine Hand war nicht frei. Einen Augenblick später hielt er etwas mit dem Mund, mit den Zähnen fest, ein mächtiges Bündel; es war die Verunglückte. Erstaunte

Schreie drangen vom Schiff und vom Land bis zu ihm hinaus, selbst der Steuermann mußte die neuen Rufe gehört haben, er steckte den Kopf herauf und sah sich um.

Endlich hatte Johannes das Boot erreicht, das abgetrieben war; er brachte das Mädchen an Bord und kam selbst nach, das Ganze ging ohne Überlegung vor sich. Die Leute sahen, wie er sich über das Mädchen beugte und ihr die Kleider am Rükken buchstäblich aufriß, dann packte er die Ruder und ruderte im Sturm zum Schiff hin. Als die Verunglückte ergriffen und an Bord gezogen wurde, ertönte ein vielseitiges, jubelndes Hurra.

Wie kamen Sie darauf, so weit draußen zu suchen? fragte man ihn.

Er antwortete:

Ich kenne den Grund hier. Und dann ist hier Strömung. Das wußte ich.

Ein Herr drängt sich an der Schiffsseite vor, er ist bleich wie der Tod, er lächelt verzerrt, und Tränen hängen ihm an den Wimpern.

Kommen Sie einen Augenblick an Bord! ruft er hinunter. Ich möchte Ihnen danken. Wir schulden Ihnen so viel Dank. Nur einen Augenblick.

Und der Mann eilt wieder aus der Menschenmenge weg, bleich wie der Tod.

Die Ladetüre an der Schiffsseite wird zurückgeschlagen, Johannes geht an Bord.

Er blieb nicht lange dort; er gab seinen Namen und seine Adresse an. Eine Frau hatte den triefenden Mann umarmt, der bleiche, verstörte Herr hatte ihm seine Uhr in die Hand gedrückt. Johannes kam in eine Kajüte, wo zwei Männer an der Geretteten arbeiteten, sie sagten: jetzt kommt sie zu sich, der Puls schlägt! Johannes sah die Kranke an, ein junges, blondes Mädchen in kurzem Kleid; das Kleid war am Rücken ganz zerrissen. Dann setzte ihm ein Mann einen Hut auf den Kopf, und er wurde hinausgeführt.

Es war ihm nicht ganz klar, wie er an Land gekommen war und das Boot auf den Strand gezogen hatte. Er hörte, wie noch einmal Hurra gerufen wurde und die Musik festlich spielte, als das Schiff fortdampfte. Eine Woge der Wollust durchrollte ihn kalt und süß von oben bis unten; er lächelte, bewegte die Lippen.

So wird also heute nichts aus der Fahrt, sagte Ditlef. Er sah mißvergnügt aus.

Victoria war gekommen, sie trat hinzu und sagte rasch:

Nein, bist du verrückt! Er muß doch heim und die Kleider wechseln.

Hoh, welch Ereignis, in seinem neunzehnten Jahre!

Johannes eilte nach Hause. Immer noch klang die Musik und das laute Hurra in seinen Ohren, eine starke Erregung trieb ihn immer weiter. Er ging an seinem Heim vorbei und schlug den Weg durch den Wald hinauf zum Granitbruch ein. Hier suchte er sich einen schönen Platz aus, wo die Sonne hinbrannte. Seine Kleider dampften. Er setzte sich. Eine närrische und freudige Unruhe ließ ihn wieder aufstehen und umhergehen. Wie war er des Glückes voll! Er fiel auf die Knie und dankte Gott mit heißen Tränen für diesen Tag. Sie hatte dabeigestanden, hatte die Hurrarufe gehört. Gehen Sie heim und ziehen Sie trockene Kleider an, hatte sie gesagt.

Er setzte sich und lachte immer wieder, hingerissen vor Jubel. Jawohl, sie hatte ihn diese Arbeit ausführen sehen, diese Heldentat, mit Stolz hatten ihre Blicke ihn begleitet, als er mit der Ertrunkenen zwischen seinen Zähnen herankam, Victoria, Victoria! Wenn sie wüßte, wie unsagbar er zu jeder Minute seines Lebens ihr gehörte! Er wollte ihr Diener und Sklave sein und ihren Weg mit seinen Schultern reinfegen. Und er wollte ihre beiden kleinen Schuhe küssen und ihren Wagen ziehen und an kalten Tagen Holz in ihren Ofen legen. Vergoldetes Holz wollte er in ihren Ofen legen, Victoria!

Er sah sich um. Niemand hörte ihn. Er war allein mit sich selbst. Er hielt die kostbare Uhr in der Hand, sie tickte, sie ging.

Dank, Dank für diesen guten Tag! Er streichelte das Moos auf den Steinen und die abgefallenen Zweige. Victoria hatte ihm nicht zugelächelt; nein freilich, das war nicht ihre Art. Sie stand nur auf der Landungsbrücke, ein kleiner roter Hauch flog über ihre Wangen. Vielleicht hätte sie seine Uhr angenommen, wenn er sie ihr gegeben hätte?

Die Sonne sank, und die Wärme nahm ab. Er fühlte, daß er naß war. Da sprang er, leicht wie eine Feder, nach Hause.

Auf dem Schloß waren Sommergäste, Fremde aus der Stadt, es gab Tanz und Musik. Und eine Woche lang wehte Tag und Nacht die Fahne auf dem runden Turm.

Und Heu lag da und sollte eingefahren werden, aber die Pferde waren durch die vergnügten Gäste in Beschlag genommen worden, und das Heu blieb

liegen. Und große Strecken ungemähter Wiesen
standen da, aber die Knechte wurden als Kutscher
und Ruderknechte verwendet, und das Gras blieb
stehen und verdarb.

Und die Musik spielte immer noch im gelben
Saal ...

In diesen Tagen ließ der alte Müller seine Mühle
still stehen und verschloß das Haus. Er war klug
geworden; es war vorgekommen, daß eine ganze
Schar dieser lustigen Städter gekommen war und
allerhand Streiche mit seinen Kornsäcken getrieben
hatte. Denn die Nächte waren so warm und hell,
und der Einfälle gab es viele. Der reiche Kammerherr hatte in seinen jungen Tagen einmal mit
höchsteigenen Händen einen Ameisenhaufen in
einem Trog in die Mühle getragen und ihn dort
abgeleert. Jetzt war der Kammerherr gesetzten
Alters, aber Otto, sein Sohn, kam noch auf das
Schloß und belustigte sich mit seltsamen Dingen.
Man konnte vieles über ihn hören ...

Hufschlag und Rufe klangen durch den Wald.
Die jungen Leute ritten spazieren, und die Pferde
vom Schloß waren glänzend und übermütig. Die
Reiter kamen an das Haus des Müllers, klopften
mit ihren Peitschen an und wollten hineinreiten.
Die Tür war so niedrig, aber sie wollten doch hineinreiten.

Guten Tag, guten Tag, riefen sie. Wir wollten
Euch begrüßen.

Der Müller lachte demütig über diesen Einfall.

Dann stiegen sie ab, banden die Pferde fest und
ließen die Mühle anlaufen.

Der Mahlgang ist leer, schrie der Müller. Ihr be-
schädigt die Mühle.

Aber niemand hörte etwas in dem brausenden Lärm.

Johannes! rief der Müller mit der ganzen Kraft seiner Lungen zum Steinbruch hinauf.

Johannes kam.

Die zermahlen mir die Mühlsteine, schrie der Vater und deutete hin.

Langsam ging Johannes auf die Gesellschaft zu. Er war schrecklich bleich, und die Adern an seinen Schläfen schwollen an. Er erkannte Otto, den Sohn des Kammerherrn, der Kadettenuniform trug; außer ihm waren noch zwei andere dabei. Einer von ihnen lächelte und grüßte, um alles wiedergutzumachen.

Johannes rief nicht, winkte nicht, sondern ging seinen Weg. Er strebte gerade auf Otto zu. In diesem Augenblick sieht er zwei Reiterinnen aus dem Wald nachkommen, die eine war Victoria. Sie hatte ein grünes Reitkleid an, und ihr Pferd war die weiße Stute vom Schloß. Sie steigt nicht ab, sondern bleibt sitzen und beobachtet alle mit fragenden Augen.

Da ändert Johannes seinen Weg, er biegt ab, steigt zum Damm hinauf und öffnet die Schleuse; nach und nach nimmt der Lärm ab, die Mühle steht still.

Otto rief:

Nein, laß sie gehen! Warum machst du das? Laß die Mühle gehen, sage ich.

Hast du die Mühle anlaufen lassen? fragte Victoria.

Ja, antwortete er lachend. Warum steht sie still? Warum darf sie nicht gehen?

Weil sie leer ist, antwortete Johannes mit stokkendem Atem und sah ihn an. Verstehen Sie das? Die Mühle ist leer.

Sie war doch leer, hörst du, sagte auch Victoria.

Wie konnte ich das wissen? fragte Otto und lachte. Warum war sie leer, frage ich? War denn kein Korn drin?

Sitz wieder auf! unterbrach ihn einer seiner Kameraden, um der Sache ein Ende zu machen.

Sie saßen auf. Einer von ihnen entschuldigte sich bei Johannes, ehe er fortritt.

Victoria war die letzte. Als sie ein kleines Stück weit gekommen war, wandte sie das Pferd und kam zurück.

Sie müssen so gut sein und Ihren Vater bitten, das zu entschuldigen, sagte sie.

Es wäre richtiger gewesen, wenn der Herr Kadett das selbst getan hätte, antwortete Johannes.

Jawohl. Natürlich; aber ... Er ist so voller Einfälle ... Wie lange ist es her, seit ich Sie gesehen habe, Johannes.

Er sah zu ihr auf, lauschend, ob er richtig höre.

Hatte sie den letzten Sonntag vergessen, seinen großen Tag?

Er antwortete:

Ich sah Sie am Sonntag auf der Landungsbrücke.

Jawohl, sagte sie sofort. Welch ein Glück, daß Sie dem Steuermann beim Suchen helfen konnten. Ihr habt doch das Mädchen gefunden?

Kurz und gekränkt antwortete er:

Ja. Wir fanden das Mädchen.

Oder war es so, fuhr sie fort, als fiele ihr etwas ein, war es so, daß Sie allein ...? Na, es ist gleich.

Jaja, also, ich hoffe, Sie richten es Ihrem Vater aus. Gute Nacht.

Sie nickte lächelnd, straffte die Zügel und ritt fort.

Als Victoria außer Sicht war, schlenderte Johannes ihr nach in den Wald, zornig und unruhig. Er fand Victoria, wie sie ganz allein bei einem Baum stand. Sie lehnte an dem Baum und schluchzte.

War sie heruntergefallen? Hatte sie sich weh getan?

Er ging zu ihr hin und fragte:

Ist Ihnen etwas zugestoßen?

Sie trat ihm einen Schritt entgegen, sie breitete die Arme aus und sah ihn strahlend an. Dann hielt sie inne, ließ die Arme sinken und antwortete:

Nein, es ist mir nichts zugestoßen; ich stieg ab und ließ die Stute vorausgehen... Johannes, Sie sollen mich nicht so ansehen. Sie standen beim Teich und sahen mich an. Was wollen Sie?

Er stammelte:

Was ich will? Ich verstehe nicht...

Sie sind da so breit, sagte sie und legte plötzlich ihre Hand auf die seine. Sie sind da so breit, am Handgelenk. Und dann sind Sie ganz braun von der Sonne, nußbraun...

Er bewegte sich, er wollte ihre Hand nehmen. Da raffte sie ihr Kleid zusammen und sagte:

Nein, es ist mir also nichts zugestoßen. Ich wollte nur gern zu Fuß heimgehen. Gute Nacht.

III

Johannes reiste wieder zur Stadt. Und Jahre und Tage vergingen, eine lange, bewegte Zeit mit Arbeit und Träumen, Studium und Versen; er hatte gute Forschritte gemacht, es war ihm geglückt, ein Gedicht zu schreiben über Esther, „ein Judenmädchen, das Königin in Persien wurde", eine Arbeit, die gedruckt und sogar bezahlt wurde. Ein anderes Gedicht, „Der Irrgang der Liebe", das in den Mund des Mönches Vendt gelegt war, machte seinen Namen bekannt.

Ja, was war die Liebe? Ein Wind, der in den Rosen rauscht, nein, ein gelbes Irrlicht im Blut. Die Liebe war eine höllenheiße Musik, die selbst die Herzen der Greise tanzen macht. Sie war wie die Margerite, die sich dem Kommen der Nacht weit öffnet, und sie war wie die Anemone, die sich vor einem Atemhauch verschließt und bei Berührung stirbt.

So war die Liebe.

Sie konnte einen Mann zugrunde richten, ihn wieder aufrichten und ihn wieder brandmarken; sie konnte heute mich lieben, morgen dich und morgen nacht ihn, so unbeständig war sie. Aber sie konnte auch festhalten wie ein unzerbrechliches Siegel und bis zur Stunde des Todes gleich unauslöschlich flammen, denn so ewig war sie. Wie war denn die Liebe?

Oh, diese Liebe ist wie eine Sommernacht mit Sternen am Himmel und mit Duft auf der Erde. Aber weshalb läßt sie den Jüngling verborgene

Wege gehen, und weshalb läßt sie den Greis in seiner einsamen Kammer auf den Fußspitzen stehen? Ach, die Liebe macht des Menschen Herz zu einem Pilzgarten, einem üppigen und unverschämten Garten, in dem geheimnisvolle und freche Pilze stehen.

Läßt sie nicht den Mönch in verschlossene Gärten schleichen und in der Nacht den Blick in die Fenster der Schlafenden werfen? Und macht sie nicht die Nonne toll und verdunkelt den Verstand der Prinzessin? Sie wirft den Kopf des Königs auf den Weg, daß sein Haar den Staub der Straße fegt und läßt ihn dabei schamlose Worte vor sich hin flüstern und lachen und die Zunge herausstrekken.

So war die Liebe.

Nein, nein, sie war doch wieder ganz anders, und sie war wie nichts sonst in der ganzen Welt. In einer Frühlingsnacht, als ein Jüngling zwei Augen, zwei Augen sah, kam sie auf die Erde. Er starrte und sah. Er küßte einen Mund, da war es, als träfen sich zwei Lichter in seinem Herzen, eine Sonne, die einem Stern entgegenblitzte. Er fiel in einen Schoß, da hörte und sah er nichts mehr auf der ganzen Welt.

Die Liebe ist Gottes erstes Wort, der erste Gedanke, der durch sein Gehirn glitt. Als er sagte: Es werde Licht! ward es Liebe. Und alles, was er geschaffen hatte, war sehr gut, und er wollte nichts davon wieder ungeschehen machen. Und die Liebe ward der Ursprung der Welt und die Beherrscherin der Welt; aber alle ihre Wege sind voll von Blumen und Blut, Blumen und Blut.

Ein Septembertag.

Diese abgelegene Straße war sein Spazierweg, er ging in ihr wie in seiner Stube, denn er traf hier niemals jemand. Zu beiden Seiten der Gehsteige waren Gärten, in denen Bäume mit rotem und gelbem Laub standen.

Weshalb geht Victoria hier? Wie kann ihr Weg sie hier vorbeiführen? Er irrte sich nicht, sie war es, und vielleicht war sie es auch gewesen, die gestern abend hier vorbeiging, als er aus seinem Fenster sah.

Sein Herz klopfte stark. Er wußte, daß Victoria in der Stadt war, das hatte er gehört; aber sie verkehrte in Kreisen, in die der Sohn des Müllers nicht kam. Auch mit Ditlef hatte er keine Verbindung.

Er nahm sich zusammen und ging der Dame entgegen. Kannte sie ihn nicht? Ernst und gedankenvoll ging sie ihren Weg und trug den Kopf stolz auf ihrem schlanken Hals.

Er grüßte.

Guten Tag, antwortete sie ganz leise.

Sie machte keine Miene stehenzubleiben, und er ging stumm vorbei. Es zuckte in seinen Beinen. Am Ende der kleinen Straße kehrte er um, wie es seine Gewohnheit war. Ich wende meinen Blick nicht vom Boden und sehe nicht auf, dachte er. Erst nach einigen Schritten sah er auf.

Sie war vor einem Fenster stehengeblieben.

Sollte er sich wegschleichen, in die nächste Straße? Weshalb stand sie da? Das Fenster war ärmlich, es war ein kleines Ladenfenster, in dem einige übereinandergelegte Stangen roter Seife zu sehen waren, Grütze in einem Glas und einige gebrauchte Briefmarken zum Verkauf.

Vielleicht ging er noch ein paar Schritte weiter und kehrte dann um.

Da sah sie ihn an, und plötzlich kommt sie ihm von neuem entgegen. Sie ging rasch, als habe sie sich ein Herz gefaßt, und als sie sprach, hatte sie Mühe, Atem zu holen. Sie lächelte nervös.

Guten Tag. Wie nett, daß ich Sie treffe.

Mein Gott, wie sein Herz kämpfte; es schlug nicht, es bebte. Er wollte etwas sagen, es gelang nicht, nur seine Lippen bewegten sich. Ihr Kleid strömte einen Duft aus, ihr gelbes Kleid, oder vielleicht war es ihr Mund. Er hatte in diesem Augenblick keinen Eindruck von ihrem Gesicht, aber er erkannte ihre feinen Schultern wieder und sah ihre lange schmale Hand auf dem Griff des Schirmes. Es war ihre rechte Hand. Die Hand trug einen Ring.

In den ersten Sekunden dachte er nicht darüber nach und hatte kein Gefühl von einem Unglück. Aber ihre Hand war wunderbar hübsch.

Ich bin eine ganze Woche in der Stadt gewesen, fuhr sie fort, aber ich habe Sie nicht gesehen. Doch, ich habe Sie einmal auf der Straße gesehen; irgend jemand sagte, daß Sie es seien. Sie sind so groß geworden.

Er murmelte:

Ich wußte, daß Sie in der Stadt seien. Werden Sie lange hierbleiben?

Einige Tage. Nein, nicht lange. Ich muß wieder nach Hause.

Ich danke Ihnen dafür, daß ich Sie begrüßen durfte, sagte er.

Pause.

Ja, ich habe mich übrigens hier wohl verirrt, sagte sie wieder. Ich wohne im Haus des Kammerherrn; welchen Weg muß ich da gehen?

Ich werde Sie begleiten, wenn ich darf.

Sie gingen.

Ist Otto daheim? fragte er, um etwas zu sagen.

Ja, er ist daheim, antwortete sie kurz.

Aus einem Tor kamen ein paar Männer, sie trugen ein Klavier und versperrten den Gehsteig. Victoria wich nach links aus, sie lehnte sich ganz an ihren Begleiter. Johannes sah sie an.

Verzeihung, sagte sie.

Ein Gefühl der Wollust durchfuhr ihn bei dieser Berührung, einen Augenblick lang lag ihr Atem auf seiner Wange.

Ich sehe, Sie tragen einen Ring, sagte er. Und er lächelte und sah gleichgültig aus. Darf ich vielleicht Glück wünschen?

Was würde sie antworten? Er sah sie nicht an, aber er verhielt den Atem.

Und Sie? antwortete Victoria, haben Sie keinen Ring? Nein, nicht? Irgend jemand hat erzählt ... Man hört jetzt so viel von Ihnen in diesen Tagen, es steht in der Zeitung.

Ich habe ein paar Gedichte geschrieben, antwortete er. Aber Sie haben sie wohl nicht gesehen.

War es nicht ein ganzes Buch? Mir ist so ...

Doch, es war auch ein kleines Buch.

Sie kamen an einen Platz, sie hatte keine Eile, obwohl sie zu der Familie des Kammerherrn sollte, sie setzte sich auf eine Bank. Er blieb vor ihr stehen.

Da reichte sie ihm plötzlich die Hand und sagte: Setzen Sie sich auch.

Und erst, als er sich gesetzt hatte, ließ sie seine Hand los.

Jetzt oder niemals! dachte er. Wieder versuchte er, einen scherzhaften und gleichgültigen Ton anzuschlagen, er lächelte, sah geradeaus in die Luft. Gut.

Soso, Sie sind verlobt und wollen es mir nicht einmal sagen. Mir, der daheim Ihr Nachbar ist.

Sie überlegte.

Das war es nicht gerade, worüber ich heute mit Ihnen sprechen wollte, antwortete sie.

Er wurde auf einmal ernst und sagte leise:

Ja, ja, ich begreife es trotzdem gut.

Pause.

Er fing wieder an:

Natürlich wußte ich die ganze Zeit, daß es mir nichts helfen würde..., ja, daß nicht ich... Ich war nur der Sohn des Müllers, und Sie ... Natürlich ist es so. Und ich verstehe nicht einmal, daß ich jetzt hier neben Ihnen zu sitzen und dies anzudeuten wage. Denn ich müßte vor Ihnen stehen, oder ich müßte auf den Knien liegen. Das wäre das Richtige. Aber es ist gleichsam... Und all diese Jahre, die ich fortgewesen bin, haben auch das ihre dazu beigetragen. Es ist gleichsam, als wagte ich jetzt mehr, denn ich weiß ja, daß ich kein Kind mehr bin, und ich weiß auch, daß Sie mich nicht ins Gefängnis werfen können, wenn Sie wollten. Deshalb wage ich das zu sagen. Aber Sie dürfen mir deshalb nicht böse sein; ich will lieber schweigen.

Nein, reden Sie. Sagen Sie, was Sie sagen wollen.

Darf ich das? Was ich will? Aber dann dürfte auch Ihr Ring mir nichts verbieten.

Nein, antwortete sie leise, der verbietet Ihnen nichts. Nein.

Wie? Ja, aber wieso denn? Gott segne Sie, Victoria, irre ich mich? Er sprang auf und beugte sich vor, um ihr ins Gesicht zu sehen. Ich meine, bedeutet denn der Ring nichts?

Setzen Sie sich wieder.

Er setzte sich.

Ach, Sie sollten nur wissen, wie ich an Sie gedacht habe; Herrgott, war denn jemals ein anderer kleiner Gedanke in meinem Herzen! Unter allen, die ich sah, und unter allen, von denen ich wußte, waren Sie der einzige Mensch auf der Welt. Es war mir nicht möglich, etwas anderes zu denken als: Victoria ist die Schönste und Herrlichste, und sie kenne ich! Fräulein Victoria, dachte ich immer. Zwar wußte ich ja gut, daß niemand Ihnen ferner war als ich; aber ich kannte Sie — ja, das war durchaus nicht zu wenig für mich —, wußte, daß Sie dort lebten und sich vielleicht manchmal meiner erinnerten. Natürlich erinnerten Sie sich meiner nicht; aber an manchem Abend habe ich doch auf meinem Stuhl gesessen und gedacht, daß Sie sich mitunter meiner erinnerten. Und wissen Sie, dann öffnete sich gleichsam der Himmel vor mir, Fräulein Victoria, und dann schrieb ich Gedichte an Sie und kaufte Blumen für Sie, für meine ganze Barschaft, und stellte sie zu Hause in ein Glas. Alle meine Gedichte sind an Sie gerichtet, nur einige wenige sind es nicht, und die sind nicht gedruckt. Aber Sie haben wohl auch die gedruckten nicht gelesen. Jetzt habe ich ein großes Buch angefangen. Ach ja, mein Gott, wie dankbar bin ich Ihnen, denn ich bin so erfüllt von Ihnen, und das ist meine ganze Freude. Stets sah oder hörte ich etwas, das mich an Sie erinnerte, den ganzen Tag, auch in den Nächten. Ich habe Ihren Namen an die Decke geschrieben, da liege ich dann und sehe hin; aber das Mädchen, das bei mir aufräumt, sieht es nicht, ich habe es so klein geschrieben, um es für mich allein zu haben. Das ist eine gewisse Freude für mich.

Sie wandte sich ab, öffnete ihr Kleid auf der Brust und zog ein Stück Papier heraus.

Sehen Sie her! sagte sie schwer atmend. Ich habe es ausgeschnitten und aufgehoben. Sie dürfen es gerne erfahren, ich lese es immer abends. Das erstemal zeigte Papa es mir, und ich ging ans Fenster, um es zu lesen. Wo ist es denn? ich finde es nicht, sagte ich und drehte die Zeitung um. Aber ich fand es leicht und las es bereits, und ich war so froh.

Ein Duft ihres Körpers stieg vom Papier auf; sie entfaltete es selbst und zeigte es ihm, es war eines seiner ersten Gedichte, vier kleine Verse an sie, an die Reiterin auf dem weißen Pferd. Es war das einfältige und heftige Geständnis eines Herzens, ein Ausbruch, der nicht zurückgehalten werden konnte, sondern aus den Zeilen hervorsprang wie Sterne, wenn sie zu leuchten beginnen.

Ja, sagte er, das habe ich geschrieben. Es ist so lange her. In einer Nacht, die Pappeln vor meinem Fenster rauschten so, da schrieb ich es. Nein, bewahren Sie es wirklich wieder auf? Dank! Sie bewahren es wieder auf. Oh! brach er aus, ergriffen, und seine Stimme war ganz leise: zu denken, daß Sie mir so nahe sitzen. Ich fühle Ihren Arm an meinem, es strahlt eine Wärme von Ihnen aus. Oftmals, wenn ich allein war und an Sie dachte, fror ich vor Erregung; aber jetzt bin ich warm. Als ich das letztemal zu Hause war, waren Sie herrlich, auch damals; aber jetzt sind Sie noch herrlicher. Es sind Ihre Augen und Ihre Augenbrauen, Ihr Lächeln —, nein, ich weiß nicht, es ist alles zusammen, alles an Ihnen.

Sie lächelte und sah ihn mit halb geschlossenen Augen an, es blaute dunkel unter den langen Wimpern. Sie hatte einen warmen Schimmer. Sie schien eine Beute der höchsten Freude zu sein und griff mit einer unbewußten Handbewegung nach ihm.

Dank! sagte sie.

Nein, Victoria, danken Sie mir nicht, antwortete er. Seine ganze Seele strömte ihr entgegen, und er wollte mehr sagen, mehr sagen; es waren verwirrte Ausbrüche, er war wie berauscht. Ja, aber Victoria, wenn Sie mich ein wenig gern haben... Ich weiß es nicht, aber sagen Sie, es sei so, selbst wenn es nicht so wäre. Seien Sie lieb! Ach, ich möchte Ihnen versprechen, etwas zu werden, viel zu werden, unerhört viel beinahe. Sie ahnen nicht, was ich werden könnte; manchmal grüble ich darüber nach und weiß, daß ich ganz voll ungeschehener Taten bin. Oft strömt es aus mir aus, nachts gehe ich umher in meinem Zimmer und singe, weil ich von Gesichten erfüllt bin. Neben meinem Zimmer liegt ein Mann. Er kann nicht schlafen, er klopft an die Wand. Wenn der Morgen graut, kommt er zu mir herein und ist wütend. Das tut nichts, ich schere mich nicht um ihn; denn dann habe ich so lange an Sie gedacht, daß mir ist, als seien Sie bei mir. Ich gehe ans Fenster und singe, es fängt an, ein wenig hell zu werden, draußen rauschen die Pappeln. Gute Nacht! sage ich zum Tag. Das heißt zu Ihnen. Jetzt schläft sie, denke ich, gute Nacht, Gott segne sie! Dann lege ich mich nieder. So geht es Abend für Abend. Niemals aber habe ich geglaubt, daß Sie so herrlich wären, wie Sie sind. Jetzt werde ich mich Ihrer so erinnern, wenn Sie abreisen; so, wie Sie jetzt sind. Ich werde mich Ihrer so deutlich erinnern . . .

Kommen Sie nicht nach Hause?

Nein. Ich bin nicht fertig. Doch, ich komme. Ich reise jetzt. Ich bin nicht fertig, aber ich will alles tun, was möglich ist. Gehen Sie manchmal daheim im Garten spazieren? Gehen Sie jemals abends aus? Ich könnte Sie sehen, ich könnte Sie vielleicht begrüßen, weiter will ich nichts. Aber wenn Sie mich ein wenig gern haben, wenn Sie mich ertragen, mich leiden mögen, so sagen Sie . . . Machen Sie mir die Freude . . . Es gibt eine Palme, die blüht nur einmal in ihrem Leben, und doch wird sie siebzig Jahre alt, es ist die Talipotpalme. Aber sie blüht nur einmal. Jetzt blühe ich. Ja, ich verschaffe mir Geld und reise heim. Ich verkaufe das, was ich geschrieben habe; ich schreibe nämlich an einem großen Buch, und das verkaufe ich jetzt, gleich morgen, alles, was ich fertig habe. Ich bekomme eine ganze Menge dafür. Möchten Sie denn, daß ich heimkomme?

Dank, Dank! Verzeihen Sie mir, wenn ich zuviel hoffe, zuviel glaube, es ist so herrlich, ungewöhnlich viel zu glauben. Dies ist der glücklichste Tag, den ich erlebt habe . . .

Er nahm den Hut ab und legte ihn neben sich hin.

Victoria sah sich um. Eine Dame kam die Straße herunter und weiter oben eine Frau mit einem

Korb. Victoria wurde unruhig, sie griff nach ihrer Uhr.

Müssen Sie jetzt gehen? fragte er. Sagen Sie etwas, ehe Sie gehen, lassen Sie mich Ihre Stimme hören ... Ich liebe Sie und sage das nun. Von Ihrer Antwort wird es abhängen, ob ich ... Ich stehe also ganz in Ihrer Macht. Was antworten Sie?

Pause.

Er läßt den Kopf sinken.

Nein, sagen Sie es nicht! bat er.

Nicht hier, erwiderte sie. Ich will es da unten tun.

Sie gingen.

Man sagt, daß Sie sich mit dem kleinen Mädchen, mit dem Mädchen, das Sie gerettet haben, verheiraten werden; wie heißt sie?

Mit Camilla, meinen Sie?

Camilla Seier. Man sagt, daß Sie sich mit ihr verheiraten werden.

Soso. Warum fragen Sie danach? Sie ist noch nicht erwachsen. Ich bin in ihrem Heim gewesen, es ist so groß und reich, ein Schloß wie Ihr eigenes; ich bin oftmals dort gewesen. Nein, sie ist nicht erwachsen.

Sie ist fünfzehn Jahre alt. Ich habe sie getroffen, wir sind zusammen gewesen. Sie hat mir sehr gefallen. Wie reizend sie ist!

Ich werde mich nicht mit ihr verheiraten, sagte er.

So, nicht.

Er sah sie an. Ein Zucken lief über sein Gesicht.

Aber weshalb sagen Sie das jetzt? Wollen Sie meine Aufmerksamkeit auf eine andere hinlenken?

Sie ging mit raschen Schritten vorwärts und antwortete nicht. Sie befanden sich vor dem Haus des

Kammerherrn. Sie nahm seine Hand und zog ihn mit ins Tor hinein, über die Treppe hinauf.

Ich will nicht mit hinein, sagte er halb erstaunt, halb verwundert.

Sie drückte auf die Glocke, wandte sich ihm zu, ihre Brust wogte.

Ich liebe Sie, sagte sie. Verstehen Sie das? Sie sind es, den ich liebe.

Plötzlich zog sie ihn hastig die Treppe wieder hinunter, drei, vier Stufen, schlang ihre Arme um ihn und küßte ihn. Sie bebte ihm entgegen.

Sie sind es, den ich liebe, sagte sie.

Oben wurde die Wohnungstüre geöffnet. Sie riß sich los und eilte die Treppe hinauf.

IV

Es geht auf den Morgen zu, der Tag graut, ein bläulicher zitternder Septembermorgen.

In den Pappeln im Garten rauscht es sanft. Ein Fenster geht auf, ein Mann lehnt sich heraus und summt. Er hat keine Jacke an, er sieht in die Welt hinaus wie ein unbekleideter Irrer, der sich heute nacht in vollen Zügen am Glück berauscht hat.

Plötzlich wendet er sich vom Fenster weg und blickt zu seiner Türe; es hat jemand bei ihm angeklopft. Er ruft: Herein! Ein Mann tritt ein.

Guten Morgen! sagt er zu dem Eintretenden.

Es ist ein älterer Mann, er ist bleich und wütend und trägt eine Lampe, weil es noch nicht ganz hell ist.

Ich möchte es Ihnen noch einmal anheimstellen, Herr Müller, Herr Johannes Müller, ob Sie das vernünftig finden, stammelt der Mann erbittert.

Nein, antwortet Johannes, Sie haben recht. Ich habe etwas geschrieben, es fiel mir so leicht ein, sehen Sie, all das habe ich geschrieben, ich habe Glück gehabt heute nacht. Aber jetzt bin ich fertig. Ich öffnete das Fenster und sang ein wenig.

Sie brüllten, sagt der Mann. Es war der lauteste Gesang, den ich je gehört habe, verstehen Sie. Und noch ist es mitten in der Nacht.

Johannes greift in seine Papiere auf dem Tisch, nimmt ein Handvoll großer und kleiner Bogen.

Sehen Sie her! ruft er. Ich sage Ihnen, noch niemals ist es mir so leicht geworden. Es war wie ein langer Blitz. Ich habe einmal einen Blitz gesehen,

der an einem Telegraphenmast entlang fuhr, Gott
schütze Sie, es sah aus wie ein Laken aus Feuer.
So ist es mir heute nacht zugeströmt. Was soll ich
tun? Ich glaube nicht, daß Sie noch böse auf mich
sein werden, wenn Sie hören, wie es zusammen-
hängt. Ich saß hier und schrieb, hören Sie, ich rührte
mich nicht; ich dachte an Sie und war still. Da
kommt der Augenblick, da ich nicht mehr länger
daran denken kann, es wollte meine Brust zerspren-
gen, vielleicht stand ich da auf, vielleicht stand ich
auch im Lauf der Nacht noch einmal auf und ging
einige Male im Zimmer umher. Ich war so froh.

Ich hörte Sie heute nacht nicht so viel, sagt der
Mann. Aber das ist vollkommen unverzeihlich von
Ihnen, jetzt um diese Tageszeit das Fenster zu öff-
nen und derartig zu lärmen.

Jawohl! Doch, das ist unverzeihlich. Aber jetzt
habe ich es Ihnen erklärt. Ich habe eine Nacht
ohnegleichen hinter mir, müssen Sie wissen. Ich
habe gestern etwas erlebt. Ich gehe auf der Straße
und begegne meinem Glück, oh, hören Sie doch,
begegne meinem Stern und meinem Glück. Wissen
Sie, und dann küßt sie mich. Ihr Mund war so rot,
und ich liebe sie, sie küßt mich und berauscht mich.
Hat Ihr Mund jemals so stark gezittert, daß Sie
nicht sprechen konnten? Ich konnte nicht sprechen,
mein Herz durchschüttelte meinen ganzen Körper.
Ich ging heim und fiel in Schlaf; hier saß ich auf
diesem Stuhl und schlief. Als es Abend wurde, erwachte ich. Meine Seele schwankte auf und ab in
mir vor Stimmung, und ich begann zu schreiben.
Was ich schrieb? Hier ist es! Ich war von einem
seltsamen und herrlichen Gedankengang beherrscht,
die Himmel öffneten sich, es war gleichsam ein

warmer Sommertag für meine Seele, ich erhielt Wein von einem Engel, ich trank ihn aus einer Granatschale. Hörte ich, ob die Uhr schlug? Sah ich, daß die Lampe ausbrannte? Wollte Gott, Sie verstünden es! Ich durchlebte das Ganze noch einmal, wieder ging ich mit meiner Geliebten auf der Straße, und alle wandten sich nach ihr um. Wir gingen in den Park, wir begegneten dem König, ich zog meinen Hut vor ihm bis zur Erde vor Freude, und der König wandte sich nach ihr um, nach meiner Geliebten, denn sie ist so groß und herrlich. Wir gingen wieder in die Stadt hinunter, und alle Schulkinder drehten sich nach ihr um, denn sie ist jung und trägt ein helles Kleid. Als wir an ein rotes Steinhaus kamen, gingen wir hinein. Ich folgte ihr über die Treppe hinauf und wollte vor ihr niederknien. Da schlang sie die Arme um mich und küßte mich. Dies geschah mir gestern abend, länger ist es nicht her. Wenn Sie mich fragen, was ich geschrieben habe — es ist ein einziger unaufhörlicher Gesang an die Freude, an das Glück, den ich geschrieben habe. Es war gleichsam, als läge das Glück mit einem schlanken, lachenden Hals nackt da und wollte zu mir.

Ja, ich will wirklich nicht mehr länger mit Ihnen schwätzen, sagt der Mann ärgerlich und verzweifelt. Ich habe zum letztenmal mit Ihnen gesprochen.

Johannes hält ihn bei der Türe zurück.

Warten Sie ein wenig. Nein, Sie hätten sehen sollen, wie Ihnen gerade gleichsam ein wenig Sonne über das Gesicht glitt. Ich sah es jetzt, da Sie sich umwandten, es war die Lampe, sie warf einen Sonnenfleck auf Ihre Stirne. Sie waren nicht mehr so verbittert, ich sah es. Ich öffnete das Fenster, allerdings, ich sang zu laut. Ich war ein froher Bruder aller Menschen. So geht es einem manchmal. Der Verstand stirbt. Ich hätte bedenken sollen, daß Sie noch schliefen . . .

Die ganze Stadt schläft noch.

Ja, es ist früh. Ich will Ihnen etwas schenken. Wollen Sie es annehmen? Es ist aus Silber, ich habe es selbst bekommen. Ein kleines Mädchen, das ich einmal gerettet habe, hat es mir geschenkt. Bitte schön! Es gehen zwanzig Zigaretten hinein. Sie wollen es nicht annehmen? Ja so, Sie rauchen nicht, aber das sollten Sie sich angewöhnen. Darf ich morgen zu Ihnen hinüberkommen und mich entschuldigen? Ich möchte gerne etwas tun, Sie um Verzeihung bitten . . .

Gute Nacht.

Gute Nacht. Ich werde mich jetzt hinlegen. Ich verspreche es Ihnen. Sie sollen keinen Laut mehr hören. Und in Zukunft will ich mich besser in acht nehmen.

Der Mann ging.

Johannes öffnet plötzlich die Tür wieder und fügt hinzu:

Ja, richtig, ich reise jetzt ab. Ich werde Sie nicht mehr stören, ich reise morgen ab. Ich vergaß es zu sagen.

Er reiste nicht. Verschiedenes hielt ihn auf, er hatte einige Angelegenheiten zu ordnen, etwas zu kaufen, etwas zu bezahlen, es wurde Morgen und Abend. Er taumelte wie sinnlos umher.

Schließlich läutete er beim Kammerherrn an. War Victoria da?

Victoria machte Besorgungen.

Er erklärt, daß sie aus demselben Ort seien, Fräulein Victoria und er, er hätte sie nur begrüßen wollen, wenn sie dagewesen wäre, hätte sich erlaubt, sie zu begrüßen. Er wollte eine Nachricht nach Hause senden. Gut.

Dann ging er in die Stadt. Vielleicht konnte er sie treffen, sie entdecken, sie saß vielleicht in einem Wagen. Bis zum Abend wanderte er umher. Vor dem Theater sah er sie, er grüßte, lächelte und grüßte, und sie beantwortete seinen Gruß. Er wollte zu ihr treten, es waren nur einige Schritte — da sieht er, daß sie nicht allein ist, Otto ist bei ihr, der Sohn des Kammerherrn; er war in Leutnantsuniform.

Johannes dachte: Vielleicht gibt sie mir jetzt einen Wink, ein kleines Zeichen mit den Augen? Sie eilte ins Theater, rot, mit gesenktem Kopf, als wollte sie sich verbergen.

Vielleicht konnte er sie drinnen sehen? Er nahm eine Eintrittskarte und ging hinein.

Er kannte die Loge des Kammerherrn, jawohl, diese reichen Menschen hatten eine Loge. Da saß sie in all ihrer Herrlichkeit und blickte sich um. Sie sah ihn an?

Als der Akt zu Ende war, lauerte er ihr draußen auf dem Gang auf. Er grüßte wieder; ein wenig erstaunt sah sie ihn an und nickte.

Dort drinnen kannst du Wasser bekommen, sagte Otto und deutete nach vorne.

Sie gingen vorbei.

Johannes sah ihnen nach. Eine seltsame Dämmerung legte sich vor seine Augen. Alle diese Menschen um ihn waren ärgerlich auf ihn und stießen ihn; mechanisch bat er um Entschuldigung und blieb stehen. Dort verschwand sie.

Als sie zurückkam, verbeugte er sich tief vor ihr und sagte:

Entschuldigen Sie, gnädiges Fräulein . . .

Das ist Johannes, sagte sie vorstellend. Kennst du ihn wieder?

Otto antwortete und sah ihn blinzelnd an.

Sie wollen vermutlich wissen, wie es daheim steht, fuhr sie fort, und ihr Antlitz war schön und ruhig. Ich weiß es wirklich nicht, aber es geht sicher gut. Ausgezeichnet. Ich werde die Müllersleute grüßen.

Danke. Reisen Sie bald, gnädiges Fräulein?

In den nächsten Tagen. Ja, ich werde sie grüßen. Sie nickte und ging.

Wieder sah Johannes ihr nach, bis sie verschwunden war, dann begab er sich hinaus. Eine ewige Wanderung, ein schwerer und trauriger Gang, Straße auf, Straße ab, schlug die Zeit tot. Um zehn Uhr stand er vor des Kammerherrn Haus und wartete. Jetzt war das Theater bald zu Ende, jetzt mußte sie kommen. Er konnte vielleicht den Wagenschlag öffnen, den Hut abnehmen, den Wagenschlag öffnen und sich bis zur Erde verbeugen.

Endlich, eine halbe Stunde später, kam sie. Konnte er dort bei der Türe stehenbleiben und sich wiederum in Erinnerung bringen? Er eilte die Straße hinauf und sah sich nicht um. Er hörte, wie das Tor aufging, wie der Wagen hineinfuhr und das Tor wieder zugeschlagen wurde, da kehrte er um. Jetzt ging er eine Stunde lang vor dem Haus auf und ab. Er wartete auf niemand und hatte hier nichts zu tun. Plötzlich wird das Tor von innen geöffnet und Victoria tritt auf die Straße hinaus. Sie ist ohne Hut und hat nur einen Schal um die Schultern geworfen. Halb ängstlich, halb verlegen lächelt sie und fragt als Anfang:

Gehen Sie hier umher und denken?

Nein, antwortet er. Ob ich denke? Nein, ich gehe hier bloß so.

Ich sah Sie hier draußen auf und ab gehen, und da wollte ich . . . ich sah Sie von meinem Fenster aus. Ich muß gleich wieder hinein.

Dank, weil Sie kamen, Victoria. Vor kurzem war ich so verzweifelt, und jetzt ist es vorbei. Entschuldigen Sie, daß ich Sie im Theater grüßte; leider habe ich auch hier beim Kammerherrn nach Ihnen gefragt, ich wollte Sie treffen und erfahren, was Sie meinten, was Ihre Meinung ist.

Ja, sagte sie, das wissen Sie doch. Ich sagte vorgestern so viel, daß Sie es nicht mißverstehen konnten.

Ich bin immer noch gleich unsicher.

Reden wir nicht mehr davon. Ich habe genug gesagt, ich habe viel zu viel gesagt, und ich tue Ihnen jetzt weh. Ich liebe Sie, ich log vorgestern nicht und ich lüge auch jetzt nicht; aber es gibt so vieles, das uns trennt. Ich schätze Sie sehr, spreche gern mit Ihnen, lieber mit Ihnen als mit jemand anderem, aber . . . Ja, ich wage nicht länger hier stehen zu bleiben, man kann uns von den Fenstern aus sehen. Johannes, es gibt so viele Gründe, die Sie nicht kennen, und Sie dürfen mich nicht mehr bitten, zu sagen, was ich meine. Ich habe Tag und Nacht daran gedacht; ich meine, was ich gesagt habe, aber es ist unmöglich!

Was ist unmöglich?

Das Ganze. Alles. Hören Sie, Johannes, ersparen Sie es mir, stolz für uns beide zu sein.

Jawohl. Gut, ich will es Ihnen ersparen! Aber dann haben Sie mich also vorgestern zum Narren gehalten. Es ging so zu, Sie trafen mich auf der Straße und waren in guter Stimmung, und da . . .

Sie wandte sich um und wollte gehen.

Habe ich etwas Unrechtes getan? fragte er. Sein Gesicht war bleich und unkenntlich. Ich meine, wodurch verscherzte ich Ihre . . . Habe ich in diesen zwei Tagen und zwei Nächten etwas verbrochen?

Nein, das ist es nicht. Ich habe nur darüber nachgedacht; haben Sie das nicht? Es war die ganze Zeit unmöglich, wissen Sie. Ich schätze Sie, halte viel auf Sie . . .

Und achte Sie.

Sie sieht ihn an, sein Lächeln kränkt sie, und sie fährt heftiger fort:

Mein Gott, begreifen Sie denn nicht selbst, daß mein Vater es Ihnen abschlagen würde? Warum zwingen Sie mich, das zu sagen? Sie wissen es selbst. Wozu hätte es geführt? Habe ich nicht recht?

Pause.

Ja, antwortet er.

Außerdem, fährt sie fort, es gibt so viele Gründe . . . Nein, Sie dürfen mir wirklich nicht wieder ins Theater nachkommen, ich hatte Angst vor Ihnen. Das dürfen Sie nie wieder tun.

Nein, sagt er.

Sie nimmt seine Hand.

Können Sie nicht auf einige Zeit nach Hause kommen? Ich würde mich sehr darüber freuen. Wie warm Ihre Hand ist; ich friere. Nein, jetzt muß ich gehen. Gute Nacht.

Gute Nacht, antwortet er.

Kalt und grau dehnte sich die Straße in die Stadt hinauf, sie glich einem Gürtel aus Sand, einem ewigen Weg. Er stieß auf einen Jungen, der alte, verwelkte Rosen verkaufte; er rief ihn an, nahm eine Rose, gab dem Jungen ein winziges Fünfkronenstück in Gold, ein Geschenk, und ging weiter. Kurz danach sah er eine Gruppe von Kindern, die bei einem Tor spielten. Ein Junge von zehn Jahren sitzt still da und sieht zu; er hat alte, blaue Augen, die dem Spiel folgen, hohle Wangen und ein viereckiges Kinn, und auf dem Kopf trägt er eine Leinenmütze. Es war das Futter einer Mütze. Dieses Kind trug eine Perücke, eine Haarkrankheit hatte diesen Kopf für immer entstellt. Auch seine Seele war vielleicht ganz verwelkt.

All das beobachtete er, obwohl er keine klare Vorstellung davon hatte, in welchem Teil der Stadt er sich befand, oder wohin er ging. Es fing auch an zu regnen, er fühlte es nicht und spannte seinen Schirm nicht auf, obwohl er ihn den ganzen Tag mit sich herumgetragen hatte.

Als er schließlich an einen Platz mit Bänken kam, ging er hin und setzte sich. Es regnete immer mehr. Ohne es zu wissen, spannte er den Schirm auf und blieb sitzen. Nach kurzer Zeit überfiel ihn eine unüberwindliche Schläfrigkeit, sein Gehirn lag wie im Nebel, er schloß die Augen und fing an zu nicken und zu schlafen.

Eine Weile später erwachte er durch die Stimmen einiger Vorübergehenden, die laut sprachen. Er stand auf und ging weiter. Sein Gehirn war klarer geworden, er entsann sich dessen, was geschehen war; aller Ereignisse, sogar des Knaben, dem er fünf Kronen für eine Rose gegeben hatte, erinnerte er sich. Er stellte sich das Entzücken des kleinen Herrn vor, wenn er nun diese wunderbare Münze unter seinen Schillingen fand und sah, daß es nicht ein Fünfundzwanzigörestück war, sondern ein Fünfkronenstück in Gold. Gott mit dir!

Und die andern Kinder waren vielleicht vom Regen vertrieben und spielten im Torweg weiter, hüpften ins Paradies, spielten mit Kugeln. Und der entstellte zehnjährige Greis saß da und sah zu. Wer weiß, vielleicht freute er sich über irgend etwas, vielleicht hatte er eine Puppe in seiner Kammer im Hinterhof, einen Hampelmann, einen Kasperl. Vielleicht hatte er nicht alles im Leben verloren, vielleicht gab es eine Hoffnung in seiner welken Seele.

Eine feine schlanke Dame taucht vor ihm auf. Er zuckt zusammen, hält inne. Nein, er kannte sie nicht. Sie war aus einer Seitenstraße gekommen und eilte weiter, und sie hatte keinen Schirm, obwohl der Regen herabströmte. Er holte sie ein, sah sie an und ging vorbei. Wie fein und jung sie war! Sie wurde naß, sie erkältete sich, und er wagte nicht, sich ihr zu nähern. Da klappte er seinen Regenschirm zu, damit sie nicht allein naß werden sollte. Als er nach Hause kam, war es Mitternacht vorbei.

Auf seinem Tisch lag ein Brief, eine Karte, es war eine Einladung. Seiers würden sich freuen, wenn er morgen abend zu ihnen käme. Er werde bekannte Leute treffen, unter anderem — könne er das erraten — Victoria — das Schloßfräulein. Freundliche Grüße.

Er schlief auf seinem Stuhl ein. Ein paar Stunden darauf erwachte er und fror. Halb wach, halb schlafend, von Kälteschauern geschüttelt, müde von des Tages Mißgeschick, setzte er sich an den Tisch und wollte die Karte beantworten, diese Einladung, die er nicht anzunehmen gedachte.

Er schrieb seine Antwort und wollte sie zum Briefkasten tragen. Plötzlich kommt ihm der Gedanke, daß auch Victoria eingeladen war. Ja so, sie hatte nichts davon zu ihm gesagt, sie hatte gefürchtet, er würde kommen, sie wollte ihn draußen unter den fremden Menschen los sein.

Er zerreißt seinen Brief, schreibt einen neuen und dankt, ja, er werde kommen. Eine innere Heftigkeit läßt seine Hand zittern, eine eigenartige frohe Bitterkeit erfaßt ihn. Weshalb sollte er nicht hingehen? weshalb sollte er sich verbergen? Basta.

Seine ungestüme Gemütserregung geht mit ihm durch. Mit einem Ruck reißt er eine Handvoll Blätter von seinem Wandkalender ab und versetzt sich eine Woche weiter vor in der Zeit. Er bildet sich ein, daß er über irgend etwas froh ist, über alle Maßen entzückt ist, er will diese Stunde genießen, will eine Pfeife anzünden, sich hinsetzen und sich freuen. Die Pfeife ist nicht in Ordnung, vergebens sucht er nach einem Messer, einem Pfeifenputzer, und nimmt plötzlich den einen Zeiger der Uhr im Winkel herunter, um die Pfeife damit zu reinigen. Es tut ihm gut, diese Zerstörung anzusehen, sie bringt ihn innerlich zum Lachen, und er späht umher, ob er sonst noch etwas zerstören könnte.

Die Zeit vergeht. Schließlich wirft er sich vollständig angezogen in seinen nassen Kleidern aufs Bett und schläft ein.

Als er erwachte, war der Tag weit vorgeschrit-
ten. Es regnete immer noch, die Straße war naß.
Sein Kopf war ganz wirr, Bruchstücke der Träume
aus dem Schlafe vermischten sich mit den Erlebnis-
sen des gestrigen Tags; er verspürte kein Fieber, im
Gegenteil, seine Hitze hatte sich gelegt, ein Gefühl
der Kühle umfing ihn, als sei er die ganze Nacht
durch einen schwülen Wald gewandert und be-
fände sich jetzt in der Nähe eines Sees.

Es klopft, der Postbote bringt ihm einen Brief.
Er öffnet ihn, sieht ihn an, liest ihn und kann ihn
nur schwer verstehen. Der Brief war von Victoria,
ein Zettel, ein halber Bogen! Sie habe vergessen,
ihm zu erzählen, daß sie heute abend zu Seiers
gehe, sie möchte ihn dort treffen, sie wollte ihm
eine bessere Erklärung geben, wolle ihn bitten, sie
zu vergessen, es wie ein Mann zu tragen. Entschuldigen Sie das schlechte Papier, freundliche Grüße.

Er ging in die Stadt, speiste, ging wieder heim
und schrieb endlich eine Absage an Seiers, er könne
nicht kommen, möchte aber gerne ein anderes Mal
kommen dürfen, vielleicht morgen abend.

Diesen Brief sandte er durch einen Boten.

V

Jetzt kam der Herbst, Victoria war heimgereist, und die kleine abgelegene Straße lag wie früher mit ihren Häusern und ihrer Stille da. In Johannes' Zimmer brannte nachts ein Licht. Es wurde am Abend mit den Sternen angezündet und bei Tagesgrauen ausgelöscht. Er arbeitete und kämpfte, er schrieb an seinem großen Buch.

Wochen und Monate vergingen; er war allein und suchte niemand auf, zu Seiers kam er nicht mehr. Oft trieb seine Phantasie ein böses Spiel mit ihm und streute in sein Buch nicht dazugehörige Einfälle, die er später wieder ausstreichen und ausmerzen mußte. Das hielt ihn sehr auf. Ein plötzlicher Lärm in der Stille der Nacht, das Rumpeln eines Wagens auf der Straße konnte seinen Gedanken einen Stoß versetzen und sie aus ihrer Bahn werfen:

Achtung! Weicht dem Wagen aus!

Weshalb? Weshalb sollte man sich eigentlich vor diesem Wagen in acht nehmen? Er rollte vorbei, jetzt ist er vielleicht an der Ecke. Vielleicht steht dort ein Mann ohne Mantel, ohne Mütze, er steht vornübergebeugt da und hält dem Wagen seinen Kopf entgegen, er will überfahren, unwiderruflich zermalmt, getötet werden. Der Mann will sterben, das ist seine Sache. Er knöpft die Knöpfe an seinem Hemd nicht mehr zu, und er hat aufgehört, des Morgens seine Stiefel zuzuschnüren, er läßt alles offen, seine Brust ist nackt und mager; er wird sterben . . . Ein Mann lag in den letzten Zügen, er schrieb einen Brief an einen Freund, einen Zettel, eine kleine Bitte. Der Mann starb, und er hinterließ diesen Brief. Der trug Datum und Überschrift, war mit großen und kleinen Buchstaben geschrieben, obwohl der Mann, als er ihn schrieb, in einer Stunde sterben sollte. Das war so merkwürdig. Er hatte auch den gewöhnlichen Schnörkel unter seinen Namen gemacht, und eine Stunde danach war er tot . . . Es gab noch einen anderen Mann. Er liegt allein in einem kleinen holzgetäfelten und blau gestrichenen Zimmer. Was weiter? Nichts. In der ganzen weiten Welt ist er derjenige, der jetzt sterben soll. Das beschäftigt ihn; er denkt daran, bis er erschöpft ist. Er sieht, daß es Abend ist, daß die Uhr auf acht Uhr zeigt, und er begreift nicht, warum sie nicht schlägt. Die Uhr schlägt nicht. Noch dazu ist es einige Minuten über acht Uhr, und sie tickt weiter, aber sie schlägt nicht. Armer Mann, sein Gehirn hat bereits angefangen zu schlafen, die Uhr hat geschlagen, und er hat es nicht gemerkt. Da durchlöchert er das Bild seiner Mutter an der Wand, — was soll er noch mit diesem Bild, und warum soll es ganz sein, wenn er fortgeht? Sein müder Blick fällt auf den Blumentopf auf dem Tisch, und er streckt die Hand aus und zieht langsam und nachdenklich den großen Blumentopf herunter, so daß er zerbricht. Warum soll er dort stehen und ganz sein? Dann wirft er seine Zigarettenspitze aus Bernstein zum Fenster hinaus. Was soll er noch damit? Es schien ihm so einleuchtend, daß sie nach ihm nicht mehr dazuliegen brauchte. Und nach einer Woche war der Mann tot . . .

Johannes steht auf und geht im Zimmer auf und ab. Der Nachbar nebenan erwacht, sein Schnarchen hört auf, und man vernimmt ein Seufzen, ein gequältes Stöhnen. Johannes geht auf den Zehen zum Tisch hin und setzt sich wieder. Draußen vor seinem Fenster rauscht der Wind in den Pappeln und läßt ihn erschauern. Die alten Pappeln sind ihres Laubes beraubt und gleichen traurigen Mißgebilden; einige knorrige Äste schlagen an die Hauswand und erzeugen einen knackenden Laut, wie eine Holzmaschine, ein zersprungenes Stampfwerk, das geht und geht.

Er sieht auf seine Blätter nieder und liest. Jawohl, seine Phantasie hat ihn wieder irregeführt. Er hat nichts mit dem Tod und mit einem vorbeifahrenden Wagen zu schaffen. Er schreibt von einem Garten, von einem grünen und üppigen Garten in seiner Heimat, von dem Schloßgarten, davon schreibt er. Tot und eingeschneit liegt er nun da, aber trotzdem schreibt er über ihn, und es herrscht dort durchaus nicht Winter und Schnee, sondern Frühling und Duft und milde Winde, und es ist Abend. Der Teich unten liegt still und tief, wie ein See aus Blei; die Fliederbüsche duften, Hecke neben Hecke steht mit Knospen und grünen Blättern da, und die Luft ist so still, daß man den Birkhahn auf der anderen Seite der Bucht balzen hört. Auf einem der Wege im Garten steht Victoria, sie ist allein, weißgekleidet, zwanzig Sommer alt. Da steht sie. Ihre Gestalt ist höher als die höchsten Rosenbüsche, sie sieht zum Wasser hinüber, zu den Wäldern, zu den schlafenden Bergen in der Ferne; sie sieht aus wie eine weiße Seele mitten in dem grünen Garten. Unten vom Weg hört man Schritte, sie geht ein wenig vor, hinunter zu dem versteckten Lusthaus, stützt sich mit den Ellbogen auf die

Mauer und sieht hinab. Der Mann unten auf dem Weg nimmt seinen Hut ab, senkt ihn beinahe bis zur Erde und grüßt. Sie nickt zurück. Der Mann sieht sich um, niemand ist in der Nähe, der ihn erspähen könnte, und er macht einige Schritte auf die Mauer zu. Da weicht sie zurück und ruft: Nein, nein! Sie wehrt ihm auch mit der Hand ab. Victoria, sagt er, es war ewig wahr, was Sie einmal sagten, ich hätte es mir nicht einbilden sollen, denn es ist unmöglich. Ja, antwortet sie, aber was wollen Sie dann? Er ist ihr ganz nahe gekommen, nur die Mauer trennt ihn von ihr, und seine Antwort lautet: Was ich will? Sehen Sie, ich will nur eine Minute hier stehen. Es ist zum letztenmal. Ich will Ihnen so nahe wie möglich sein; jetzt stehe ich nicht weit von Ihnen entfernt! Sie schweigt. So vergeht die Minute. Gute Nacht, sagt er und zieht den Hut beinah wieder bis zur Erde. Gute Nacht, antwortet sie. Und er geht, ohne sich umzublicken . . .

Was hatte er mit dem Tod zu schaffen? Er knüllt das beschriebene Papier zusammen und wirft es in den Ofen. Dort liegen auch noch andere beschriebene Blätter, die verbrannt werden sollen, lauter flüchtige Einfälle seiner Phantasie, die mit ihm durchgegangen war. Und er schreibt wieder von dem Mann unten auf dem Weg, einem wandernden Herrn, der grüßte und Lebewohl sagte, als seine Minute um war. Und im Garten blieb ein junges Mädchen zurück, sie war weiß gekleidet und zwanzig Sommer alt. Sie wollte ihn nicht haben; nein, wohl. Aber er hatte an der Mauer gestanden, hinter der sie lebte. So nahe war er ihr einmal gewesen.

Wieder vergehen Wochen und Monate; und der Frühling kam. Der Schnee war schon fort, weit draußen im Weltenraum rauschte es von der Sonne bis zum Mond wie von befreiten Wassern. Die Schwalben waren gekommen, und im Wald außerhalb der Stadt erwachte ein munteres Leben von allerhand hüpfenden Tieren und Vögeln mit fremder Sprache. Ein frischer und süßlicher Geruch drang aus der Erde.

Seine Arbeit hat den ganzen Winter gedauert. Wie ein Aufgesang hatten die trockenen Äste der Pappeln Tag und Nacht an seiner Hauswand gescharrt; jetzt war der Frühling gekommen, die Stürme waren vorbei und das Stampfwerk hatte aufgehört.

Er öffnet das Fenster und sieht hinaus, die Straße ist schon ruhig, obwohl es noch nicht Mitternacht ist, die Sterne blitzen an dem wolkenlosen Himmel, alles deutet darauf, daß es morgen ein warmer und heller Tag wird. Er hört die Geräusche aus der Stadt, die sich mit dem ewigen Rauschen in der Ferne vermischen. Plötzlich gellt eine Lokomotivpfeife, es ist das Signal des Nachtzuges; es klingt wie ein einzelner Hahnenruf in der stillen Nacht. Jetzt ist die Zeit der Arbeit da, dieser Pfiff war ihm den ganzen Winter hindurch wie eine Botschaft gewesen.

Und er schließt das Fenster und setzt sich wieder an den Tisch. Er wirft die Bücher, in denen er gelesen hat, zur Seite und holt die Papiere hervor.

Er ergreift die Feder.

Jetzt ist seine große Arbeit beinahe fertig. Nur ein Schlußkapitel fehlt noch, ein Gruß wie von einem fortsegelnden Schiff, und er hat es bereits im Kopf:

In einem Gasthaus am Wege sitzt ein Herr, er ist auf der Durchreise und fährt weit, weit hinaus in die Welt. Haar und Bart sind grau, und viele Jahre sind über ihn hingegangen; aber er ist immer noch groß und stark und kaum so alt, wie er aussieht. Draußen steht sein Wagen. Die Pferde ruhen aus, der Kutscher ist lustig und vergnügt; denn er hat Wein und Essen von dem Fremden bekommen. Als der Herr seinen Namen eingeschrieben hat, erkennt ihn der Wirt, verbeugt sich tief vor ihm und erweist ihm viel Ehre. Wer lebt jetzt auf dem Schloß? fragt der Herr. Der Wirt antwortet: Der Kapitän, er ist sehr reich; die gnädige Frau ist gütig gegen alle. Gegen alle? fragt der Herr sich selbst und lächelt seltsam, auch gegen mich? Und der Herr schickt sich an, etwas auf ein Blatt Papier zu schreiben, und als er damit fertig ist, überliest er es, es ist ein Gedicht, schwer und ruhig, aber mit vielen bitteren Worten. Dann aber zerreißt er das Papier in Stücke, und er bleibt sitzen und reißt das Papier in immer noch kleinere Stücke. Da klopft es an seiner Türe, und eine gelbgekleidete Frau tritt ein. Sie hebt den Schleier auf, es ist die Schloßherrin, Frau Victoria. Sie ist wie eine Majestät. Der Herr erhebt sich rasch, seine düstere Seele ist in diesem Augenblick durchleuchtet, wie das Wasser von dem Lockfeuer der Fischer. Sie sind so gütig gegen alle, sagt er bitter, Sie kommen auch zu mir. Sie antwortet nicht, sie steht nur da und sieht ihn an, und ihr Antlitz wird dunkelrot. Was wollen Sie? fragte er ebenso bitter wie vorher; sind Sie gekommen, mich an das Vergangene zu erinnern?

Dies aber ist das letztemal, gnädige Frau, jetzt reise ich für immer fort. Und immer noch entgegnet die junge Schloßherrin nichts, aber ihr Mund bebt. Er sagt: Ist es Ihnen nicht genug, daß ich meine Torheit e i n m a l erkannt habe, so hören Sie, ich tue es noch einmal: Mein Verlangen stand nach Ihnen, ich war Ihrer nicht würdig — sind Sie nun zufrieden?

Mit steigender Heftigkeit fährt er fort: Sie antworteten mir Nein, Sie nahmen einen anderen; ich war ein Bauer, ein Bär, ein Barbar, der in seiner Jugend auf königliches Wildgebiet geraten war! Da aber wirft der Herr sich auf einen Stuhl und schluchzt und bittet: Ach, gehen Sie! verzeihen Sie mir, gehen Sie Ihres Weges! Jetzt ist alle Röte aus dem Gesicht der Schloßherrin gewichen. Da sagt sie, und sie spricht die Worte langsam und deutlich aus: Ich liebe Sie; mißverstehen Sie mich nicht mehr, Sie sind er, den ich liebe; leben Sie wohl! Und das war die junge Schloßherrin, sie schlug die Hände vors Gesicht und ging rasch zur Türe hinaus . . .

Er legt die Feder hin und lehnt sich zurück. Jawohl, Punktum, Ende. Dort lag das Buch. Alle die beschriebenen Blätter, die Arbeit von neun Monaten. Eine warme Zufriedenheit durchrieselt ihn, weil sein Werk zu Ende geführt ist. Und während er dasitzt und zum Fenster blickt, durch das der Tag graut, summt und klopft es in seinem Kopf, und sein Geist arbeitet weiter. Er ist ganz voller Stimmung, sein Gehirn liegt wie ein unabgeernteter wilder Garten da, in dem die Erde dampft:

Auf eine geheimnisvolle Weise ist er in ein tiefes, ausgestorbenes Tal gekommen, wo nichts Lebendes zu finden ist. In weiter Ferne, allein und vergessen, steht eine Orgel und klingt. Er geht näher hinzu, untersucht sie, die Orgel blutet, aus ihrer einen Seite rinnt Blut, während sie klingt. Im Weitergehen gelangt er auf einen Marktplatz. Alles ist öde, kein Baum zu sehen, kein Laut zu hören, nur der Marktplatz liegt öde da. Aber im Sand sind Spuren von den Stiefeln der Leute, und in der Luft steht gleichsam noch das letzte Wort, das an dieser Stelle ausgesprochen wurde, so kurz war sie erst verlassen worden. Eine seltsame Empfindung erfüllt ihn, diese Worte, die noch in der Luft über dem Marktplatz stehen, ängstigen ihn, nähern sich ihm, bedrücken ihn. Er schlägt sie weg, aber sie kommen wieder, es sind keine Worte, es sind Greise, eine Gruppe tanzender Greise; er sieht sie jetzt. Weshalb tanzen sie und weshalb sind sie so gar nicht froh, wenn sie tanzen? Ein kalter Hauch strömt von dieser Gesellschaft von Greisen aus, sie sehen ihn nicht, sie sind blind, und als er sie anruft, hören sie ihn nicht, sie sind tot. Er wandert gegen Osten, zur Sonne, er kommt zu einem Felsen. Eine Stimme ruft: Bist du an einem Felsen? Ja, antwortet er, ich stehe an einem Felsen. Da sagt die Stimme: Der Fels, an dem du stehst, ist mein Fuß; ich liege gefesselt in dem äußersten Land, komm und befreie mich! Da begibt er sich fort nach dem äußersten Land. An einer Brücke steht ein Mann und wartet auf ihn, er sammelt Schatten; der Mann ist aus Moschus. Ein eisiger Schrecken erfaßt ihn beim Anblick dieses Mannes, der ihm seinen Schatten nehmen will. Er spuckt nach ihm und droht ihm mit geballten Fäusten; der Mann aber steht unbeweglich und wartet auf ihn. Kehre um! ruft eine Stimme hinter ihm. Er dreht sich um und sieht einen Kopf, der auf dem Weg dahinrollt und ihm die Richtung zeigt. Der Kopf ist ein menschlicher Kopf, und dann und wann lacht er still und lautlos. Er folgt ihm. Tage- und nächtelang rollt der Kopf vor ihm her und er folgt ihm nach; am Meeresufer schlüpft der Kopf in die Erde und versteckt sich. Er watet ins Meer hinaus und taucht unter. Da steht er vor einem gewaltigen Portal und trifft auf einen großen bellenden Fisch. Er hat eine Mähne und bellt ihm wie ein Hund entgegen. Hinter dem Fisch steht Victoria. Er streckt die Hände nach ihr aus, sie hat keine Kleider an, sie lacht ihm entgegen, und ein Sturm bläst durch ihr Haar. Da ruft er sie an, er hört selbst seinen Schrei — und erwacht.

Johannes erhebt sich und geht ans Fenster. Es ist beinahe hell, und er sieht in dem Spiegel am Fensterpfosten, daß seine Schläfen rot sind. Er löscht die Lampe und liest noch einmal in dem grauen Licht des Tages die letzte Seite seines Buches. Dann legt er sich nieder.

Gegen Abend des gleichen Tages hatte Johannes sein Zimmer bezahlt, sein Manuskript abgeliefert und die Stadt verlassen. Er war ins Ausland gereist, niemand wußte wohin.

VI

Das große Buch war herausgekommen, ein König-
reich, eine kleine rauschende Welt von Stimmun-
gen, Stimmen und Gesichten. Es wurde gekauft,
gelesen und weggelegt. Einige Monate vergehen;
als der Herbst kam, schleuderte Johannes ein neues
Buch hinaus. Was jetzt? Sein Name kam plötzlich
auf aller Lippen, das Glück begleitete ihn, dieses
neue Buch war in weiter Ferne geschrieben worden, fern von den Ereignissen daheim, und es war
still und stark wie Wein:

Lieber Leser, hier ist die Geschichte von Didrik
und Iselin. Geschrieben in der guten Zeit, in den
Tagen der kleinen Sorgen, da alles leicht zu tragen
war, geschrieben mit dem allerbesten Willen für
Didrik, den Gott mit Liebe schlug.

Johannes war in fremden Ländern, niemand
wußte wo, und mehr als ein Jahr verging, ehe es
jemand erfuhr.

Mir ist, als hätte es an der Tür geklopft, sagt der
alte Müller eines Abends.

Und seine Frau und er sitzen still und lauschen.

Nein, es war nichts, sagt sie dann; es ist zehn Uhr,
und es ist bald Nacht.

Mehrere Minuten vergehen.

Da klopft es hart und bestimmt an die Türe, als
habe sich jemand erst richtig ein Herz gefaßt.

Der Müller öffnet. Das Schloßfräulein steht
draußen.

Erschreckt nicht, ich bin es nur, sagt sie und lächelt furchtsam. Sie tritt ein; ein Stuhl wird vor sie hingestellt, aber sie setzt sich nicht. Sie trägt nur einen Schal um den Kopf und an den Füßen schmale niedere Schuhe, obwohl es noch nicht Frühling ist und die Wege noch nicht trocken sind.

Ich wollte euch nur darauf vorbereiten, daß der Leutnant im Frühling kommt, sagt sie. Der Leutnant, mein Verlobter. Und er wird vielleicht Waldschnepfen hier schießen, das wollte ich nur sagen, damit Ihr nicht ängstlich werdet.

Erstaunt sehen der Müller und seine Frau das Schloßfräulein an. Noch nie war ihnen etwas gesagt worden, wenn die Gäste des Schlosses in Wald und Feld auf die Jagd gingen. Sie danken ihr demütig; wie freundlich war das von ihr.

Victoria tritt wieder zur Türe zurück.

Das wollte ich nur sagen. Ich dachte, Ihr seid alte Leute, da könnte es nicht schaden, wenn ich es euch sagte.

Der Müller antwortet:

Daß das gnädige Fräulein das tun mochte! Und jetzt ist das gnädige Fräulein in den kleinen Schuhen sicher naß geworden.

Nein, der Weg ist trocken, sagt sie kurz. Ich ging sowieso spazieren. Gute Nacht.

Gute Nacht.

Sie ergreift die Klinke und geht wieder hinaus.

Da wendet sie sich in der Türe und fragt:

Ach, richtig — Johannes, habt Ihr etwas von ihm gehört?

Nein, nichts, Dank für die Nachfrage, nichts.

Er kommt wohl bald. Ich dachte, Ihr hättet Nachricht.

Nein, seit dem Frühling des vergangenen Jahres haben wir nichts mehr gehört. Johannes soll in fremden Ländern sein.

Ja, in fremden Ländern. Er hat es gut. Er selbst schreibt in einem Buch, daß er sich in den Tagen der kleinen Sorgen befindet. Da hat er es wohl gut. Ach ja, ach ja, das mag Gott wissen. Wir erwarten ihn; aber er schreibt uns nicht, er schreibt an niemand. Wir erwarten ihn nur.

Er hat es wohl dort, wo er ist, besser, wenn seine Sorgen klein sind. Ja, ja, meinetwegen. Ich wollte nur wissen, ob er im Frühling heimkäme. Gute Nacht nochmals.

Gute Nacht.

Der Müller und seine Frau begleiten sie hinaus. Sie sehen sie erhobenen Hauptes zum Schloß zurückkehren und mit ihren kleinen Schuhen über die Wasserpfützen in dem aufgeweichten Weg hinwegsteigen.

Ein paar Tage darauf kommt ein Brief von Johannes. In ungefähr einem Monat, wenn er ein weiteres neues Buch fertig hat, wird er nach Hause kommen. Es ist ihm gut gegangen in dieser langen Zeit, eine neue Arbeit wird bald vollendet sein, das Leben der ganzen Welt war durch sein Gehirn gewirbelt . . .

Der Müller begibt sich zum Schloß. Auf dem Weg findet er ein Taschentuch, es ist mit Victorias Buchstaben gezeichnet, sie hat es vorgestern abend verloren.

Das Schloßfräulein ist oben, aber ein Mädchen macht sich erbötig, ihr Bescheid zu bringen — was es denn sei?

Der Müller sagt es nicht. Er will lieber warten.

Endlich kommt das gnädige Fräulein. Ich höre, daß Sie mit mir sprechen wollen? fragt sie und macht die Türe zu einem Zimmer auf.

Der Müller tritt ein, übergibt das Taschentuch und sagt: Und dann haben wir einen Brief von Johannes bekommen.

Eine helle Bewegung fährt über ihr Gesicht, einen Augenblick lang, einen kurzen Augenblick. Sie antwortet:

Vielen Dank. Ja. das Taschentuch gehört mir.

Jetzt kommt er wieder heim, fährt der Müller beinahe flüsternd fort.

Ihre Miene wird kalt.

Sprechen Sie laut, Müller; wer kommt? antwortet sie.

Johannes.

Johannes. Ja, was weiter?

Nein, es war nur ... Wir glaubten, daß wir es sagen sollten. Wir sprachen darüber, meine Frau und ich, und sie glaubte es auch. Sie fragten vorgestern, ob er im Frühling heimkäme. Ja, er kommt.

Da freut Ihr Euch wohl? sagt das Schloßfräulein. Wann kommt er?

In einem Monat.

Soso. Ja, war es sonst noch etwas?

Nein. Wir glaubten nur, weil Sie fragten ... Nein, sonst war's nichts mehr. Es war nur dies.

Der Müller hatte die Stimme wieder gesenkt.

Sie begleitet ihn hinaus. Im Gang begegnen sie ihrem Vater, und sie sagt im Vorbeigehen zu ihm, laut und gleichgültig:

Der Müller erzählt, daß Johannes wieder heimkommt. Du erinnerst dich doch an Johannes?

Und der Müller geht zum Tor des Schlosses hinaus und schwört sich, daß er niemals, niemals mehr ein Narr sein und auf seine Frau hören werde, wenn sie sich auf heimliche Dinge verstehen will. Das wollte er sie wissen lassen.

VII

Den schlanken Eibischbaum am Mühlteich hatte
er einmal als Angelrute abschneiden wollen, seit-
her waren viele Jahre vergangen, und der Baum
war dicker als sein Arm geworden, er sah ihn mit
Erstaunen an und ging weiter. Am Fluß entlang
gedieh immer noch die undurchdringliche Wildnis
von Farnkraut, ein ganzer Wald, auf dessen Grund
die Tiere feste Wege getreten hatten — darüber
schlossen sich die Blätter der Farnkräuter. Wie in
den Kindheitstagen kämpfte er sich durch die Wildnis hindurch, mit den Händen schwimmend und
sich mit den Füßen vorwärts tastend, Insekten und
Gewürm flohen vor dem gewaltigen Mann.

Oben am Granitbruch fand er Schlehen, Anemonen und Veilchen. Er pflückte ein paar Blumen,
der verborgene Duft rief ihm vergangene Tage zurück. In der Ferne blauten die Höhenzüge, die zu
der Nachbargemeinde gehörten, und auf der anderen Seite der Bucht fing der Kuckuck zu rufen an.

Er setzte sich; bald begann er zu summen. Da
hörte er Schritte unten auf dem steinigen Grund.

Es war Abend, die Sonne schon untergegangen; die
Wärme aber stand noch zitternd in der Luft. Über
Wäldern, Höhen und Bucht lag eine endlose Ruhe.
Eine Frau kam zum Steinbruch herauf. Es war Vic-
toria. Sie trug einen Korb.

Johannes erhob sich, grüßte und wollte sich ent-
fernen.

Ich wollte Sie nicht stören, sagte sie. Ich möchte
mir nur ein paar Blumen holen.

Er antwortete nicht. Und er dachte nicht daran, daß sie in ihrem Garten ja alle erdenklichen Blumen hatte.

Ich nahm einen Korb mit, um die Blumen hineinzutun, sagte sie. Aber vielleicht finde ich gar keine. Wir brauchen sie für unsere Gesellschaft, auf den Tisch. Wir werden eine Gesellschaft geben.

Da sind Anemonen und Veilchen, sagte er. Weiter oben gibt es meistens Hopfen. Aber dazu ist es vielleicht noch zu früh im Jahr.

Sie sind blasser als das letztemal, bemerkte sie zu ihm. Es ist über zwei Jahre her. Sie sind fortgewesen, habe ich gehört. Ich habe Ihre Bücher gelesen.

Er antwortete immer noch nicht. Es fiel ihm ein, daß er sagen könnte: Ja, guten Abend, gnädiges Fräulein! Und dann gehen. Von der Stelle, wo er stand, war ein Schritt hinunter zum nächsten Stein, von dort einer bis zu ihr, und dann konnte er sich zurückziehen, als treffe es sich ganz von selbst so. Sie stand mitten in seinem Weg. Sie trug ein gelbes Kleid und einen roten Hut und war seltsam und schön; der Hals war bloß.

Ich versperre Ihnen den Weg, murmelte er und trat hinunter. Er beherrschte sich, um keine Gemütserregung zu verraten.

Es war nur ein Schritt zwischen ihnen. Sie machte ihm nicht Platz, sondern blieb stehen. Sie sahen einander ins Gesicht. Plötzlich wurde sie sehr rot, schlug die Augen nieder und ging zur Seite; ihr Gesicht bekam einen ratlosen Ausdruck, aber sie lächelte.

Er trat an ihr vorbei und blieb stehen, ihr trauriges Lächeln machte ihn betroffen, sein Herz flog ihr wieder entgegen, und er sagte eufs Geratewohl:

Ja, Sie sind natürlich seitdem noch oft in der Stadt gewesen? Seit damals? ... Jetzt weiß ich, wo früher immer Blumen zu stehen pflegten: auf dem Hügel bei Ihrer Fahnenstange.

Sie wandte sich ihm zu und er sah mit Verwunderung, daß ihr Gesicht bleich und erregt geworden war.

Wollen Sie an dem Abend zu uns kommen? sagte sie. Wollen Sie zu unserer Gesellschaft kommen? Wir geben eine Gesellschaft, fuhr sie fort, und ihr Gesicht begann sich wieder zu röten. Es kommen einige Leute aus der Stadt. Es wird in den nächsten Tagen sein, aber ich werde Ihnen noch näheren Bescheid geben. Was antworten Sie?

Er antwortete nicht. Das war keine Gesellschaft für ihn, er gehörte nicht zum Schloß.

Sie dürfen nicht nein sagen. Es soll nicht langweilig für Sie werden, ich habe daran gedacht, ich habe eine Überraschung für Sie.

Pause.

Sie können mich nicht mehr überraschen, antwortete er.

Sie biß sich auf die Lippe; wieder glitt das verzweifelte Lächeln über ihr Gesicht.

Wozu wollen Sie mich denn bringen? sagte sie tonlos.

Ich will Sie zu nichts bringen, Fräulein Victoria. Ich saß hier auf einem Stein, ich bin gerne bereit wegzugehen.

Ach ja, ich war zu Hause, ich ging den ganzen Tag umher, da kam ich hierher. Ich hätte am Fluß entlang gehen können, auf einem anderen Weg, dann wäre ich nicht gerade hierher gekommen ...

Liebes Fräulein Victoria, der Platz gehört Ihnen und nicht mir.

Ich habe Ihnen einmal weh getan, Johannes, ich will es wieder gutmachen, wieder gutmachen. Ich habe wirklich eine Überraschung für Sie, und ich glaube ... das heißt, ich hoffe, Sie werden sich darüber freuen. Mehr kann ich nicht sagen, aber ich möchte Sie bitten, dieses Mal zu kommen.

Wenn Ihnen das einiges Vergnügen bereitet, so werde ich kommen.

Wollen Sie?

Ja, ich danke Ihnen für Ihre Freundlichkeit.

Als er in den Wald hinuntergekommen war, wandte er sich um und sah zurück. Sie hatte sich gesetzt; der Korb stand neben ihr. Er ging nicht nach Hause, sondern folgte dem Weg und kehrte wieder um. Tausend Gedanken stritten in ihm. Eine Überraschung? Sie hatte es soeben gesagt, erst vor kurzem, ihre Stimme hatte gebebt. Eine heiße und nervöse Freude stieg in ihm auf, läßt sein Herz gewaltig schlagen, und er fühlt sich von dem Weg, auf dem er geht, emporgehoben. Und war es nur ein Zufall, daß sie auch heute ein gelbes Kleid trug? Er hatte ihre Hand angesehen, wo der Ring einmal gesessen hatte — sie trug keinen Ring.

Eine Stunde vergeht. Die Dünste aus Wald und Feld umschwebten ihn, mischten sich in seinen Atemzug, drangen in sein Herz. Er setzte sich, legte sich zurück und faltete die Hände unter dem Nacken und lauschte eine Weile dem Ruf des Kukkucks an der anderen Seite der Bucht. Ein leidenschaftlicher Vogelsang zitterte rings um ihn in der Luft.

So hatte er es wieder erlebt! Als sie in ihrem gelben Kleid und mit dem blutroten Hut zu ihm in den Steinbruch heraufstieg, sah sie wie ein wandelnder Schmetterling aus. Sie trat von Stein zu Stein und blieb vor ihm stehen. Ich wollte Sie nicht stören, sagte sie und lächelte; ihr Lächeln war rot, ihr ganzes Gesicht war erhellt, sie streute Sterne aus. Auf ihrem Hals waren einige feine blaue Adern sichtbar geworden, und die Sommersprossen unter den Augen gaben ihr eine warme Farbe. Sie ging in ihren zwanzigsten Sommer.

Eine Überraschung? Was hatte sie vor? Wollte sie ihm vielleicht seine Bücher zeigen, ihm diese zwei, drei Bände zeigen und ihn damit erfreuen, daß sie alle miteinander gekauft und aufgeschnitten hatte? Bitte schön, ein ganz klein wenig Aufmerksamkeit und ein milder Trost! Verschmähen Sie nicht meinen geringen Beitrag!

Er erhob sich heftig und blieb stehen. Victoria kam zurück. Ihr Korb war leer.

Sie fanden keine Blumen? fragte er abwesend.

Nein, ich gab es auf. Ich suchte auch nicht, ich saß nur dort.

Er sagte:

Da ich eben daran denke: Sie sollen durchaus nicht umhergehen und meinen, daß Sie mir wehgetan haben, Sie haben gar nichts wieder gutzumachen durch irgendwelchen Trost.

Nicht? antwortete sie überrumpelt. Sie dachte darüber nach, sah ihn an und grübelte. Nicht? Ich glaubte, daß damals ... Ich wollte nicht, daß Sie die ganze Zeit um des Geschehenen willen Groll gegen mich hegen sollten.

Ich hege keinen Groll gegen Sie.

Sie dachte noch eine Weile nach. Plötzlich reckt sie sich auf.

Dann ist es gut, sagt sie. Nein, das hätte ich ja wissen müssen. Einen so starken Eindruck hinterließ es nicht. Ja, ja, dann wollen wir nicht mehr davon reden.

Nein, das wollen wir nicht mehr tun. Meine Eindrücke sind Ihnen jetzt so gleichgültig wie früher.

Leben Sie wohl, sagte sie. Leben Sie wohl einstweilen.

Leben Sie wohl, antwortete er.

Sie gingen jeder seines Weges. Er blieb stehen und wandte sich um. Dort ging sie nun. Er streckte die Hände aus und flüsterte, sagte zärtliche Worte vor sich hin: Ich hege keinen Groll gegen Sie, nein, nein, das tue ich nicht! ich liebe Sie immer noch, liebe Sie ...

Victoria! rief er.

Sie hörte es, zuckte zusammen und drehte sich um, ging aber weiter.

Einige Tage verliefen. Johannes ging in höchster Unruhe umher und arbeitete nicht, schlief nicht; er brachte fast den ganzen Tag im Wald zu. Er ging auf den großen Fichtenhügel, wo die Fahnenstange des Schlosses stand; die Stange trug eine Flagge. Auch auf dem runden Turm des Schlosses war eine Fahne aufgezogen.

Eine merwürdige Spannung ergriff ihn. Fremde sollten auf das Schloß kommen, es sollte ein Fest stattfinden.

Der Nachmittag war still und warm; der Fluß lief wie ein Puls durch die heiße Landschaft. Ein Dampfschiff glitt aufs Land zu und hinterließ einen Fächer von weißen Streifen in der Bucht. Nun fuhren vier Wagen vom Schloß weg und schlugen den Weg zur Landungsbrücke ein.

Das Schiff legte an, Herren und Damen stiegen an Land und nahmen in dem Wagen Platz. Da knatterte eine Reihe von Schüssen vom Schloß her; zwei Männer standen oben in dem runden Turm und luden und schossen, luden und schossen mit Jagdbüchsen. Als sie einundzwanzig Schüsse gelöst hatten, rollten die Wagen durch das Schloßportal, und das Schießen hörte auf.

Jawohl, es sollte ein Fest auf dem Schloß stattfinden; die Fremden wurden mit Flaggen und Salutschüssen empfangen. In den Wagen saßen einige Militärs; vielleicht war Otto, der Leutnant dabei.

Johannes stieg vom Hügel herab und begab sich nach Hause. Er wurde von einem Mann vom Schloß eingeholt, der ihn anhielt. Der Mann trug einen Brief in der Mütze, er war von Fräulein Victoria gesandt und sollte Antwort haben.

Mit klopfendem Herzen las Johannes den Brief. Victoria lud ihn trotzdem ein, schrieb ihm herzliche Worte und bat ihn zu kommen. Dieses eine Mal bitte sie ihn darum. — Antworten Sie durch den Boten.

Eine wunderbare und unerwartete Freude war ihm widerfahren, das Blut stieg ihm zu Kopfe, und er antwortete dem Mann, er wolle kommen, ja, Dank, er wolle sofort kommen.

Bitte schön!

Er gab dem Boten ein lächerlich großes Geldstück und eilte heim, sich umzukleiden.

VIII

Zum erstenmal in seinem Leben trat er durch das Tor des Schlosses und begab sich über die Treppe hinauf in den ersten Stock. Stimmen summten ihm von dort entgegen, sein Herz schlug stark, er klopfte an und trat ein.

Die noch junge Schloßherrin kam ihm entgegen, begrüßte ihn freundlich und drückte seine Hand. Es freue sie, ihn zu sehen, sie entsinne sich seiner noch aus der Zeit, da er nicht größer gewesen sei als so; jetzt sei er ein großer Mann... Und es war als wollte die Schloßherrin noch mehr sagen; lange hielt sie seine Hand und sah ihn forschend an.

Auch der Schloßherr kam hinzu und reichte ihm die Hand. Wie seine Frau gesagt habe, ein großer Mann, in mehr als einer Beziehung. Ein berühmter Mann. Sehr erfreut...

Er wurde Herren und Damen vorgestellt, dem Kammerherrn, der seine Orden trug, der Frau Kammerherrin, einem Gutsbesitzer aus der Nachbargemeinde, Otto, dem Leutnant. Victoria sah er nicht.

Eine geraume Zeit verstrich. Victoria trat ein, bleich, sogar unsicher; sie führte ein junges Mädchen an der Hand. Sie gingen rund durch den Saal, begrüßten alle, sprachen kurz mit jedem.

Vor Johannes blieben sie stehen.

Victoria lächelte und sagte:

Sehen Sie, hier ist Camilla, ist das nicht eine Überraschung? Ihr kennt einander.

Sie blieb ein wenig stehen und sah die beiden an, dann verließ sie den Saal.

Im ersten Augenblick blieb Johannes starr und betäubt auf dem Fleck stehen. Das war die Überraschung: Victoria hatte freundlichst eine andere an ihre Stelle gesetzt. Hört nun, geht hin und nehmt einander, Ihr Menschen! Der Frühling steht in Blüte, die Sonne scheint; macht die Fenster auf, wenn Ihr wollt, denn im Garten ist ein Duft, und in den Birkenwipfeln draußen singen auch die Stare. Warum sprecht Ihr nicht miteinander? Aber so lacht doch!

Ja, wir kennen einander, sagte Camilla offen. Hier geschah es, daß Sie mich damals aus dem Wasser zogen.

Sie war jung und hell, munter, rosenrot gekleidet, in ihrem siebzehnten Jahr. Johannes biß die Zähne zusammen, lachte und scherzte. Nach und nach fingen ihre fröhlichen Worte an, ihn wirklich aufzumuntern, sie sprachen lange zusammen, sein Herzklopfen nahm ab. Sie hatte noch aus ihren jüngeren Jahren die reizende Gewohnheit, den Kopf schief zu legen und abwartend zu lauschen, wenn er etwas sagte. Er erkannte sie wieder, sie überraschte ihn nicht.

Victoria kam wieder herein, sie nahm den Leutnant beim Arm, zog ihn mit sich und sagte zu Johannes:

Kennen Sie Otto — meinen Verlobten? Sie erinnern sich seiner wohl noch.

Die Herren erinnerten sich. Sie sagen die notwendigen Worte, machen die notwendigen Verbeugungen und trennen sich. Johannes und Victoria bleiben allein zurück. Er sagt:

War das die Überraschung?

Ja, antwortet sie gequält und ungeduldig, ich tat mein Bestes, ich wußte nichts anderes. Seien Sie nun nicht ungerecht, danken Sie mir lieber; ich sah, daß Sie froh wurden.

Ich danke Ihnen. Ja, ich wurde froh.

Eine unendliche Verzweiflung legte sich auf ihn, sein Gesicht wurde leichenblaß. Hatte sie ihm wirklich einmal weh getan, so war das nun reichlich wieder gut gemacht, und er war getröstet worden. Er war ihr aufrichtig dankbar.

Und dann bemerke ich, daß Sie Ihren Ring tragen, sagte er dumpf. Nehmen Sie den nun nicht wieder ab!

Pause,

Nein, jetzt werde ich ihn wohl nicht mehr abnehmen, antwortete sie.

Sie blickten einander in die Augen. Seine Lippen bebten, er deutete mit dem Kopf zum Leutnant hin und sagte heiser und grob:

Sie haben Geschmack, Fräulein Victoria. Er ist ein schöner Mann. Seine Epauletten machen ihm gute Achseln.

Mit großer Ruhe gab sie ihm zurück:

Nein, er ist nicht schön. Aber er ist ein gebildeter Mann. Das wiegt auch ein wenig.

Das gilt mir, Dank! Er lachte laut und fügte unverschämt hinzu: Und er hat Geld in den Taschen, das wiegt mehr.

Sie entfernte sich sofort.

Wie ein Friedloser glitt er von Wand zu Wand. Camilla sprach ihn an, fragte nach etwas, er hörte es nicht und antwortete nicht. Sie sagte wieder etwas, berührte sogar seinen Arm und fragte abermals vergeblich.

Nein, da geht er umher und denkt, rief sie lachend. Er denkt, er denkt!

Victoria hörte es und antwortete:

Er will allein sein. Er schickte auch mich weg. Aber plötzlich trat sie ganz bis zu ihm hin und sagte laut: Sie grübeln gewiß über eine Entschuldigung nach. Darum brauchen Sie sich nicht zu bemühen. Im Gegenteil, ich muß mich bei Ihnen entschuldigen, weil ich Ihnen die Einladung so spät sandte. Das war sehr unaufmerksam von mir. Ich vergaß Sie bis zuletzt, fast hätte ich Sie ganz vergessen. Aber ich hoffe, Sie verzeihen mir, ich hatte an so vieles zu denken.

Sprachlos starrte er sie an; sogar Camilla blickte von einem zum andern und schien erstaunt zu sein. Victoria stand mit ihrem kalten, bleichen Gesicht vor ihnen und zeigte eine zufriedene Miene. Sie war gerächt.

Das sind nun unsere jungen Kavaliere, sagte sie zu Camilla. Wir dürfen uns nicht zu viel von ihnen erwarten. Dort drüben sitzt mein Verlobter und spricht von Elchjagden, und hier steht der Dichter und denkt ... Sagen Sie etwas, Dichter!

Er zuckte zusammen; die Adern an seinen Schläfen wurden blau.

Jawohl. Sie bitten mich, etwas zu sagen? Jawohl.

Ach nein, strengen Sie sich nicht an.

Sie wollte schon gehen.

Um gleich auf die Sache loszugehen, sagte er langsam und lächelnd, aber seine Stimme bebte, um mitten drin anzufangen: waren Sie vor kurzem verliebt, Fräulein Victoria?

Einige Sekunden lang war es vollkommen still; alle drei hörten ihre Herzen schlagen. Camilla antwortete erschrocken:

Victoria ist natürlich in ihren Bräutigam verliebt. Sie hat sich eben erst verlobt, wissen Sie das nicht?

Die Türen zum Speisesaal wurden geöffnet.

Johannes fand seinen Platz und blieb davor stehen.

Der ganze Tisch schwankte vor seinen Augen auf und ab, er sah viele Menschen und hörte ein Summen von Stimmen.

Ja, bitte, das ist Ihr Platz, sagte die Schloßherrin freundlich. Wenn sich nur alle einmal setzen wollten.

Entschuldigen Sie! sagte plötzlich Victoria dicht hinter ihm.

Er trat zur Seite.

Sie nahm seine Karte und legte sie einige Plätze, sieben Plätze, weiter unten hin, neben einem alten Mann, der einmal Hauslehrer auf dem Schloß gewesen war und in dem Ruf eines Trinkers stand. Sie trug eine andere Karte zurück und setzte sich.

Er stand da und sah dem allen zu. Die Schloßherrin machte sich, unangenehm berührt, auf der anderen Seite des Tisches etwas zu schaffen und vermied es, ihn anzusehen.

Er wurde noch verwirrter als vorher und ging erregt an seinen neuen Platz. Sein früherer Platz wurde von einem von Ditlefs Freunden aus der Stadt eingenommen, einem jungen Mann mit Diamantknöpfen in der Hemdenbrust. Zu seiner linken Seite saß Victoria, zu seiner rechten Camilla.

Der alte Hauslehrer erinnerte sich an Johannes aus der Zeit, als dieser noch ein Kind war, und es kam ein Gespräch zwischen ihnen zustande. Er erzählte, daß auch er in seinen jungen Tagen die Dichtkunst betrieben habe, die Manuskripte lägen noch da, Johannes solle sie bei Gelegenheit einmal zu lesen bekommen. Heute sei er hierher zu diesem Jubeltag des Hauses gerufen worden, um an der Freude der Familie über Victorias Verlobung teilzunehmen. Der Schloßherr und die Schloßherrin hätten ihm aus alter Freundschaft diese Überraschung bereitet.

Ich habe nichts von Ihnen gelesen, sagte er. Ich lese mich selbst, wenn ich etwas lesen will; in meiner Schublade liegen Gedichte und Erzählungen. Sie sollen nach meinem Tod herausgegeben werden; ich möchte doch, daß das Publikum erfährt, wer ich war. Ach ja, wir Älteren vom Fach sind nicht so flink mit dem Druckenlassen, wie man es gegenwärtig ist. Ihr Wohl!

Die Mahlzeit schreitet weiter. Der Schloßherr klopft an sein Glas und erhebt sich. Sein vornehmes, mageres Gesicht ist bewegt vor Erregung, und er erweckt den Eindruck, als wäre er sehr froh. Johannes senkt den Kopf tief. Sein Glas ist leer und niemand gibt ihm etwas; er füllt es selbst bis zum Rande und läßt den Kopf wieder sinken. Nun kam es!

Die Rede war lang und hübsch und wurde mit großem und freudigem Lärm entgegengenommen. Die Verlobung war erklärt. Eine Menge guter Wünsche strömten von allen Seiten des Tisches bei der Tochter des Schloßherrn und dem Sohn des Kammerherrn zusammen.

Johannes trank sein Glas aus.

Einige Minuten später ist seine Zerrissenheit von ihm gewichen, seine Ruhe zurückgekehrt; der Champagner brennt gedämpft durch seine Adern. Er hört, daß auch der Kammerherr eine Rede hält, und daß wieder Bravo und Hurra gerufen und mit den Gläsern angestoßen wird. Einmal sieht er zu Victorias Platz hinüber; sie ist bleich und scheinbar gequält, sie blickt nicht auf. Dagegen nickt Camilla ihm zu und lächelt, und er nickt zurück.

Der Hauslehrer neben ihm spricht weiter:

Es ist schön, es ist schön, wenn zwei einander bekommen. Dieses Los habe ich nicht gezogen. Ich war ein junger Student mit großen Aussichten, viel Begabung; mein Vater hatte einen alten Namen, ein großes Haus, Reichtum, viele, viele Schiffe. Ich darf also sogar sagen, ich hatte s e h r große Aussichten. Auch sie war jung und aus einem vornehmen Haus. Ich gehe also zu ihr hin und öffne ihr mein Herz. N e i n, antwortet sie. Können Sie sie begreifen? Nein, sie wolle nicht, sagte sie. Ich tat, was ich konnte, arbeitete weiter und trug es wie ein Mann. Da kamen die Unglücksjahre meines Vaters, Verluste, Bürgschaftsschulden, kurz gesagt, er machte Bankrott. Was tat ich da? Trug es wieder wie ein Mann. Und jetzt kam tatsächlich sie, das Mädchen, von dem ich eben sprach, zu mir. Sie kommt, sucht mich in der Stadt auf. Was wollte sie von mir? werden Sie fragen. Ich war arm geworden, ich hatte eine kleine Lehrerstelle erhalten, alle meine Aussichten waren verschwunden und meine Gedichte in die Schublade geworfen — jetzt kam sie und wollte. Wollte!

Der Hauslehrer sah Johannes an und fragte: Können Sie sie begreifen?

Aber nun wollten Sie nicht?

Konnte ich, frage ich? Entblößt, entblößt, nackt, eine Lehrerstelle, nur Sonntags Tabak in der Pfeife — wo denken Sie hin? Ich konnte ihr das doch nicht antun. Aber ich sage nur, können Sie das begreifen?

Und was wurde dann aus ihr?

Ach Gott, Sie antworten mir nicht auf meine Frage. Sie verheiratete sich mit einem Kapitän. Das war im Jahr darauf. Mit einem Kapitän der Artillerie. Ihr Wohl!

Johannes sagte:

Man sagt, es gebe gewisse Frauen, die einen Gegenstand für ihr Mitleid suchen. Geht es dem Mann gut, so hassen sie ihn und fühlen sich überflüssig; geht es ihm schlecht und wird er zu Boden gedrückt, so triumphieren sie und sagen: hier bin ich.

Aber warum schlug sie nicht ein, als die Zeiten noch so gut waren? Ich hatte Aussichten wie ein kleiner Gott.

Sie wollte eben warten, bis Sie zu Boden gedrückt wären. Wer weiß das?

Aber ich wurde nicht zu Boden gedrückt. Niemals. Ich behielt meinen Stolz und gab ihr einen Korb. Was sagen Sie nun?

Johannes schwieg.

Aber Sie haben vielleicht recht, meinte der alte Hauslehrer. Bei Gott und allen Engeln, Sie haben recht, mit dem, was Sie sagen, brach er plötzlich aus, neu belebt, und trank wieder. Schließlich nahm sie einen alten Kapitän: sie pflegt ihn, füttert ihn und ist Herr im Hause. Einen Kapitän der Artillerie.

Johannes sah auf. Victoria saß mit ihrem Glas in der Hand da und starrte zu ihm herüber. Sie hielt ihr Glas in die Höhe. Er fühlt sich von einem Stoß durchzuckt, und auch er ergriff sein Glas. Seine Hand zitterte.

Da rief sie laut seinen Nebenmann an und lachte; es war der Name des Hauslehrers, den sie rief.

Gedemütigt stellte Johannes sein Glas nieder und lächelte sogar ratlos vor sich hin. Alle hatten ihn angesehen.

Der alte Hauslehrer war ob dieser freundlichen Aufmerksamkeit seiner Schülerin bis zu Tränen gerührt. Er beeilte sich und trank aus.

Und da gehe ich nun umher, ich alter Mann, fuhr er fort, gehe umher hier auf der Welt, allein und unbekannt. Das wurde mein Los. Niemand weiß, was in mir wohnt; aber niemand hat mich murren hören. Kennen Sie die Turteltaube? Ist es nicht die Turteltaube, dieses tieftraurige Tier, das das klare, helle Quellwasser erst trübt, ehe es daraus trinkt?

Das weiß ich nicht.

Nein, freilich. Aber es ist schon so. Und so mache ich es auch. Ich bekam die nicht, die ich im Leben haben wollte; doch ich bin trotzdem durchaus nicht so arm an Freuden. Aber ich trübe sie mir erst. Beständig trübe ich sie erst. Da kann die Enttäuschung hinterher nicht Übermacht über mich bekommen. Sehen Sie Victoria. Sie trank mir jetzt zu. Ich bin ihr Lehrer gewesen; jetzt wird sie sich verheiraten, und das freut mich, ich fühle dabei ein rein persönliches Glück, als wäre sie meine eigene Tochter. Jetzt werde ich vielleicht der Lehrer ihrer Kinder. Doch, es gibt wirklich trotz allem mancherlei Freuden im Leben. Aber was Sie da über das Mitleid und die Frau und den gebeugten Nacken sagten — je mehr ich darüber nachdenke, desto mehr scheint es mir, daß Sie recht haben. Weiß Gott, Sie haben ... Entschuldigen Sie einen Augenblick.

Er stand auf, ergriff sein Glas und ging zu Victoria. Er schwankte bereits ein wenig auf den Beinen und ging sehr vornübergebeugt.

Mehrere Reden wurden gehalten, der Leutnant sprach, der Gutsbesitzer aus der Nachbargemeinde trank auf die Frau im allgemeinen, auf das Wirken der Frau im Hause. Plötzlich stand der Herr mit den Diamantenknöpfen auf und nannte Johannes' Namen. Er habe die Erlaubnis dazu erhalten, er möchte dem jungen Dichter einen Gruß von den Jungen überbringen. Es waren lauter freundliche Worte, ein wohlgemeinter Dank der Gleichaltrigen, voll Anerkennung und Bewunderung.

Johannes traute beinah seinen eigenen Ohren nicht. Er fragte den Hauslehrer flüsternd:

Spricht er von mir?

Der Hauslehrer antwortete:

Ja. Er kam mir zuvor. Ich wollte es selbst tun. Victoria bat mich bereits heute nachmittag darum.

Wer bat Sie darum, sagten Sie?

Der Hauslehrer starrte ihn an.

Niemand, antwortete er.

Während der Rede richteten sich aller Augen auf Johannes, sogar der Schloßherr nickte ihm zu, und die Frau des Kammerherrn nahm ihr Lorgnon vor die Augen, um ihn anzusehen. Als die Rede zu Ende war, tranken alle.

Sie müssen jetzt erwidern, sagte der Hauslehrer. Er hat Ihnen eine Rede gehalten. Eigentlich wäre das einem Älteren vom Fach zugekommen. Außerdem stimme ich durchaus nicht ganz mit ihm überein. Durchaus nicht.

Johannes sah über den Tisch zu Victoria hinüber. Sie hatte diesen Herrn mit den Diamantknöpfen zum Reden veranlaßt; warum hatte sie das getan? Erst hatte sie sich an einen anderen deswegen gewandt, schon während des Tages hatte sie daran gedacht; weshalb? Nun saß sie da, blickte nieder, und keine Miene verriet sie.

Plötzlich läßt eine tiefe und heftige Erregung seine Augen feucht werden, er hätte sich ihr zu Füßen hinwerfen und ihr danken mögen, ihr danken. Er wollte es später tun. Nach dem Essen.

Camilla saß da und sprach nach rechts und nach links und lächelte über das ganze Gesicht. Sie war zufrieden, ihre siebzehn Jahre hatten ihr nichts als eitel Freude gebracht. Sie nickte Johannes wiederholt zu und machte ihm Zeichen, daß er sich erheben solle.

Er stand auf.

Er sprach kurz, seine Stimme klang tief und erregt: Bei diesem Fest, mit dem das Haus ein freudiges Ereignis feiere, sei auch er — ein ganz Außerhalbstehender, aus seiner Unbemerktheit hervorgezogen worden. Er möchte der danken, die diesen liebenswürdigen Einfall zuerst gehabt, und dem, der ihm so viele angenehme Worte gesagt habe. Aber er möchte auch nicht vergessen, das Wohlwollen anzuerkennen, womit die ganze Gesellschaft sein — des Außerhalbstehenden — Lob angehört habe. Das einzige Anrecht, hier bei dieser Gelegenheit überhaupt anwesend zu sein, gebe ihm nur die Tatsache, daß er der Sohn des Nachbarn im Walde sei ...

Ja! rief plötzlich Victoria mit flammenden Augen. Alle sahen sie an, ihre Wangen waren rot, und ihre Brust wogte. Johannes hielt inne. Ein peinliches Schweigen trat ein.

Victoria! sagte der Schloßherr erstaunt.

Fahren Sie fort! rief sie wieder. Ja, das ist Ihr einziges Anrecht; aber sprechen Sie weiter! Dann schloß sie plötzlich die Augen, sie fing an, hilflos zu lächeln und den Kopf zu schütteln. Darauf wandte sie sich an ihren Vater und sagte:

Ich wollte nur übertreiben. Er übertreibt ja selbst. Nein ich wollte nicht stören ...

Johannes hörte diese Erklärung und fand einen Ausweg; sein Herz schlug hörbar. Er beobachtete, wie die Schloßherrin Victoria mit Tränen in den Augen und mit unendlicher Nachsicht betrachtete.

Ja, er habe übertrieben, sagte er; Fräulein Victoria habe recht. Sie sei so liebenswürdig gewesen, ihn daran zu erinnern, daß er nicht allein der Sohn des Nachbarn, sondern auch der Spielkamerad der Schloßkinder in der Jugendzeit gewesen sei, und diesem letzten Umstand verdanke er nun seine Anwesenheit hier. Er danke ihr, so sei es. Er sei hier zu Hause, die Wälder des Schlosses seien einmal seine ganze Welt gewesen, hinter denen das unbekannte Land, das Abenteuer blaute. Und in jenen Jahren hätten Ditlef und Victoria oft nach ihm gesandt, um ihn zu einem Ausflug oder zu einem Spiel zu rufen — das seien die großen Erlebnisse seiner Kindheit gewesen. Später, als er darüber nachgedacht habe, habe er erkannt, daß diese Stunden eine ungeahnte Bedeutung für sein

Leben gehabt hätten, und wenn es sich so ver-
hielte — wie eben gesagt worden sei — daß das,
was er schreibe, mitunter aufflamme, so käme
das von den Erinnerungen an jene Zeit, die ihn
entzündeten; es sei der Widerschein eines Glückes,
das zwei Kameraden ihm in seiner Kindheit bereitet hätten. Deshalb hätten auch sie einen großen
Anteil an seinen Arbeiten. Zu den allgemeinen guten Wünschen anläßlich der Verlobung möchte er
daher noch einen persönlichen Dank an die beiden
Schloßkinder hinzufügen, für die schönen Jahre
der Kindheit, für damals, da weder die Zeit noch
das Leben zwischen sie getreten war, für jenen
frohen, kurzen Sommertag...

Eine Rede, geradezu ein Versuch zu einer Rede.
Sie war nicht eben lustig, aber auch nicht ganz
schlecht, die Gesellschaft trank, aß weiter und fuhr
in ihrer Unterhaltung fort. Ditlef bemerkte trok-
ken zu seiner Mutter:

Ich habe nie gewußt, daß eigentlich ich seine Bücher geschrieben habe. Was?

Aber die Schloßherrin lachte nicht. Sie trank
ihren Kindern zu und sagte:

Dankt ihm, dankt ihm. Das war sehr begreif-
lich; so allein, wie er als Kind war... Was tust du,
Victoria?

Das Mädchen soll ihm diesen Fliederzweig als
Dank von mir bringen. Darf ich das nicht?

Nein, antwortete der Leutnant.

Nach Tisch zerstreute sich die Gesellschaft in die
Zimmer, auf die große Altane und sogar über den
Garten hinunter. Johannes ging ins Erdgeschoß und
gelangte in das Gartenzimmer. Hier befanden sich
mehrere Gäste, ein paar rauchende Herren, der

Gutsbesitzer und noch einer, der halblaut über die Finanzen des Schloßherrn sprach. Sein Hof war vernachlässigt, mit Unkraut überwuchert, die Zäune verfallen, der Wald gelichtet; es ging die Rede davon, daß es ihm sogar schwer falle, die erstaunlich hohe Versicherung für die Häuser und die Einrichtung aufzubringen.

Wie hoch ist das alles versichert?

Der Gutsbesitzer nannte die Summe, eine auffallende Summe.

Im übrigen ist hier im Schloß nie gespart worden, es handelte sich schon immer um große Summen. Was kostet nicht zum Beispiel ein solches Essen wie heute! Aber jetzt soll es überall leer aussehen, sogar in dem berühmten Schmuckkasten der Schloßherrin, und deshalb soll jetzt das Geld des Schwiegersohns die Herrlichkeit wieder aufrichten.

Wieviel hat er wohl?

Ach, er hat unergründlich viel Geld.

Johannes stand wieder auf und ging in den Garten hinunter. Der Flieder blühte, Ströme des Duftes schlugen ihm von Aurikeln und Pfingstrosen, von Jasmin und Maiblumen entgegen. Er suchte sich einen Winkel unten an der Mauer und setzte sich auf einen Stein; ein Boskett verbarg ihn vor der ganzen Welt. Er war erschöpft vor Erregung, todmüde, sein Verstand war verdunkelt; er dachte daran, aufzustehen und heimzugehen, blieb aber sitzen, dumpf und schlaff. Da hörte er vorne auf dem Weg Gemurmel, es kommt jemand, er erkennt Victorias Stimme. Er hält den Atem an und wartet ein wenig, da blitzt auch die Uniform des Leutnants durch das Laub. Das Brautpaar ging zusammen spazieren.

Ich finde, sagt er, daß da etwas nicht in Ordnung ist. Was er sagt, macht Eindruck auf dich, du sitzt da und beachtest seine Worte und schreist auf. Was hatte das eigentlich zu bedeuten?

Sie hält inne und steht aufrecht vor ihm da.

Willst du es wissen? sagt sie.

Ja.

Sie schweigt.

Es kann mir ja gleich sein, wenn es nichts bedeutete, fährt er fort. Dann brauchst du es mir nicht zu sagen.

Sie sinkt wieder zusammen.

Nein, es bedeutete nichts, antwortet sie.

Sie gehen wieder weiter. Nervös zuckt der Leutnant mit den Epauletten und sagt laut:

Er sollte sich ein wenig in acht nehmen. Sonst könnte er einmal die Hand eines Offiziers auf seiner Wange fühlen.

Sie schlugen den Weg zum Lusthaus ein.

Johannes blieb eine Zeitlang auf dem Stein sitzen, dumpf und gequält wie vorher. Alles begann ihm gleichgültig zu werden. Der Leutnant hatte Verdacht gegen ihn gefaßt, und seine Verlobte rechtfertigte sich auf der Stelle. Sie sagte, was gesagt werden mußte, stellte das Herz des Offiziers zufrieden und ging mit ihm weiter. Und die Stare zwitscherten in den Zweigen über ihren Köpfen. Jawohl. Möge Gott ihnen ein langes Leben bescheren ... Er hatte bei Tisch eine Rede für sie gehalten und sein Herz herausgerissen; es hatte ihn viel gekostet, ihre unverschämte Unterbrechung zu verdecken und wieder gutzumachen, und sie hatte ihm nicht dafür gedankt. Sie hatte ihr Glas ergriffen und getrunken. Prosit, seht mich an, wie

schön ich trinke ... Seht euch übrigens einmal eine
Frau von der Seite an, wenn sie trinkt. Ob sie
nun aus einer Tasse, aus einem Glas, oder aus irgend etwas anderm trinkt, seht sie von der Seite
an. Sie ziert sich dabei, daß es ein Grauen ist. Sie
spitzt den Mund und taucht dessen äußersten Rand
in die Flüssigkeit und ist verzweifelt, wenn man
ihre Hand beobachtet. Seht überhaupt einer Frau
nicht auf die Hände. Sie hält das nicht aus, sie ka-
pituliert. Sofort zieht sie ihre Hand an sich, bringt
sie in eine immer schönere Stellung, nur um eine
Falte, eine Unschönheit an den Fingern oder einen
weniger wohlgeformten Nagel zu verbergen.
Schließlich hält sie es nicht mehr aus, sondern fragt
ganz außer sich: Auf was sehen Sie denn? ... Sie
hatte ihn einst geküßt, einmal, im Sommer. Das
war so lange her, wer weiß, ob es überhaupt wahr
war. Wie war es doch, saßen sie nicht auf einer
Bank? Sie sprachen lange miteinander, und als sie
gingen, kam er ihr so nahe, daß er ihren Arm berührte. Vor der Wohnungstür küßte sie ihn. Ich
liebe Sie! sagte sie ... Jetzt gingen sie vorbei, sie
saßen vielleicht noch im Lusthaus. Der Leutnant
wollte ihm einen Schlag auf die Wange geben, sagte
er. Er hörte es sehr wohl, er schlief nicht, aber er
erhob sich auch nicht, trat nicht vor. Die Hand
eines Offiziers, hatte er gesagt. Jawohl — es war
ihm gleichgültig ...

Er erhob sich von dem Stein und ging ihnen
nach, zum Lusthaus. Es war leer. Oben auf der
Veranda des Hauptgebäudes stand Camilla und
rief ihn; es gäbe Kaffee, im Gartenzimmer. Er
folgte ihr. Im Gartenzimmer saßen die Verlobten;
es waren auch noch mehrere andere Leute anwe-

send. Er nahm seinen Kaffee, trat zurück und suchte sich einen Platz.

Camilla fing an, mit ihm zu sprechen. Ihr Antlitz war so hell, und sie sah ihn mit offenen Augen an, er konnte ihr nicht widerstehen, er sprach mit, beantwortete ihre Fragen und lachte. Wo er denn gewesen sei? Im Garten? Das sei nicht wahr. Sie habe im Garten gesucht und ihn nicht gefunden. Nein, nein, im Garten sei er nicht gewesen.

War er im Garten, Victoria? fragt sie.

Victoria antwortet:

Nein, ich habe ihn dort nicht gesehen.

Der Leutnant wirft ihr einen erbitterten Blick zu und sagt, um seine Braut zu warnen, unnötig laut zum Gutsbesitzer:

Wollten Sie mich nicht zur Schnepfenjagd bei Ihnen mitnehmen?

Jawohl, antwortet der Gutsbesitzer. Sie sind mir willkommen.

Der Leutnant sieht Victoria an. Sie sagt nichts und bleibt ruhig sitzen, sie hält ihn durchaus nicht von dieser Schnepfenjagd beim Gutsbesitzer zurück. Sein Gesicht verfinstert sich immer mehr, mit nervösen Bewegungen spielt er an seinem Schnurrbart.

Camilla richtet wieder eine Frage an Victoria.

Da erhebt sich der Leutnant mit einer raschen Bewegung und sagt zum Gutsbesitzer:

Gut, dann gehe ich gleich heute abend mit.

Damit verläßt er das Zimmer.

Der Gutsbesitzer und einige andere folgten ihm.

Es entstand eine kurze Pause.

Plötzlich geht die Türe auf, und der Leutnant tritt wieder ein. Er ist in größter Aufregung.

Hast du etwas vergessen? fragt Victoria und steht auf.

Er macht ein paar hüpfende Schritte an der Türe, als könne er nicht stillstehen und geht geradeaus zu Johannes, den er gleichsam im Vorbeigehen mit der Hand stößt. Dann läuft er zur Türe zurück und hüpft immer noch.

Nehmen Sie sich in acht, Mann, Sie stießen mich ins Auge, sagte Johannes und lachte hohl.

Sie irren sich, antwortete der Leutnant, ich gab Ihnen eine Ohrfeige. Verstehen Sie? Verstehen Sie?

Johannes griff nach dem Taschentuch, wischte sich das Auge und sagte:

Sie meinen das nicht so. Sie wissen ja, daß ich Sie zusammenklappen und in die Tasche stecken kann.

Gleichzeitig erhob er sich.

Da öffnete der Leutnant eilig die Türe und trat hinaus.

Ich meine es! schrie er zurück. Ich meine es; Dummkopf!

Dann schlug er die Türe mit einem Krach zu.

Johannes setzte sich wieder.

Victoria stand noch mitten im Zimmer. Sie sah ihn an und war bleich wie eine Leiche.

Hat er Sie gestoßen? fragte Camilla höchst erstaunt.

Aus Versehen. Er traf mich ins Auge. Sehen Sie her.

Mein Gott, das ist ja rot, und hier ist Blut. Nein, reiben Sie nicht, lassen Sie es mit Wasser auswaschen. Ihr Taschentuch ist so grob, sehen Sie nur selbst. Stecken Sie es wieder ein; ich nehme mein eigenes. Nein, so etwas, mitten ins Auge!

Victoria zog ebenfalls ihr Taschentuch hervor. Sie sagte nichts. Dann ging sie ganz langsam zu der Glastüre, wo sie, den Rücken der Stube zugewandt, stehenblieb und hinaussah. Sie riß ihr Taschentuch in kleine Streifen. Einige Minuten danach öffnete sie die Türe und verließ das Gartenzimmer, still und stumm.

IX

Camilla kam munter und ohne weiteres zur
Mühle gegangen. Sie war allein. Sie trat gleich in
die kleine Stube ein und sagte lächelnd:

Entschuldigen Sie, daß ich nicht angeklopft habe.
Der Fluß rauscht so stark, daß ich glaubte, es sei
doch umsonst. Sie sah sich um und rief aus: Nein,
wie reizend ist es hier! Reizend! Wo ist Johannes?
Ich kenne Johannes. Wie geht es mit seinem Auge?

Sie bekam einen Stuhl angeboten und setzte sich.

Johannes wurde aus der Mühle geholt. Sein
Auge war entzündet und blutunterlaufen.

Ich komme von selbst, rief Camilla ihm entgegen; ich hatte Lust, hierher zu gehen. Sie müssen
auch weiterhin kalte Umschläge machen.

Das ist nicht nötig, antwortete er. Nein. Gott
segne Sie, weshalb kommen Sie hierher? Wollen
Sie die Mühle sehen? Dank, dafür, daß Sie gekommen sind. Er umfaßte seine Mutter, schob sie vor
und sagte: Das ist meine Mutter.

Sie gingen zur Mühle hinunter. Der alte Müller
zog die Mütze tief ab und sagte etwas; Camilla
verstand es nicht, aber sie lächelte und sagte aufs
Geratewohl:

Danke, danke. Doch, ich will sie gerne sehen.

Der Lärm machte sie ängstlich, sie hielt Johannes
bei der Hand und sah mit großen aufmerksamen
Augen zu den beiden Männern auf, ob sie wohl
etwas sagen würden. Sie sah wie eine Schwerhörige
aus. Die vielen Räder und Vorrichtungen in der
Mühle erfüllten sie mit Verwunderung, sie lachte,

schüttelte im Eifer Johannes' Hand und deutete nach allen Richtungen. Die Mühle wurde abgestellt und wieder in Gang gesetzt, damit sie es sehen konnte.

Noch eine gute Weile, nachdem sie die Mühle verlassen hatte, sprach Camilla ganz komisch laut, als dröhne ihr der Lärm immer noch in den Ohren.

Johannes begleitete sie auf dem Rückweg ins Schloß.

Begreifen Sie, daß er es wagte, Sie ins Auge zu stoßen? sagte sie. Aber dann war er auch auf einmal verschwunden, er fuhr mit dem Gutsbesitzer auf die Jagd. Das war eine schrecklich unangenehme Sache. Victoria hat die ganze Nacht nicht geschlafen, erzählte sie wieder.

Dann kann sie heute nacht schlafen, antwortete er. Wann, glauben Sie, werden Sie wohl wieder heimreisen?

Morgen. Wann kommen Sie in die Stadt?

Im Herbst. Kann ich Sie heute nachmittag treffen?

Ach ja, tun Sie das! Sie haben mir von einer Höhle erzählt, die Sie wissen, die müssen Sie mir zeigen.

Ich werde kommen und Sie abholen, sagte er.

Als er wieder heimging, saß er lange auf einem Stein und dachte nach. Ein warmer und glücklicher Gedanke hatte in ihm Wurzel gefaßt.

Am Nachmittag ging er ins Schloß, blieb draußen stehen und ließ nach Camilla senden. Während er dastand und wartete, wurde Victoria für einen Augenblick in einem Fenster des ersten Stockes sichtbar; sie starrte zu ihm hinunter, wandte sich um und verschwand im Zimmer.

Camilla erschien, er führte sie zum Steinbruch und zur Höhle. Er fühlte sich ungewöhnlich ruhig und glücklich, das junge Mädchen zerstreute ihn, ihre hellen leichten Worte umflatterten ihn wie kleine Wohltaten. Heute waren gute Geister nahe...

Ich entsinne mich, Camilla, daß Sie mir einmal einen Dolch verehrten. Er hatte eine Scheide aus Silber. Ich legte ihn mit anderen Dingen zusammen in eine Lade; denn ich hatte keine Verwendung dafür.

Nein, Sie hatten keine Verwendung dafür; aber was weiter?

Ja, jetzt habe ich ihn verloren.

Nein, wirklich? Das war Pech. Aber ich kann Ihnen vielleicht einen ähnlichen verschaffen. Ich will es versuchen.

Sie gingen heimwärts.

Und können Sie sich an das schwere Medaillon erinnern, das Sie mir einmal gegeben haben? Es war ganz dick und schwer von Gold und stand auf einem Ständer. In das Medaillon hatten Sie ein paar freundliche Worte geschrieben.

Ja, ich erinnere mich.

Als ich voriges Jahr im Ausland war, verschenkte ich es, Camilla.

Ach nein? Daß Sie es verschenkt haben! Warum denn?

Ein junger Kamerad erhielt es von mir zur Erinnerung. Es war ein Russe. Er fiel auf die Knie und dankte mir dafür.

Freute er sich so? Mein Gott, sicher muß er sich stürmisch gefreut haben, wenn er auf die Knie fiel! Sie sollen ein anderes Medaillon für sich selbst bekommen.

Sie waren auf den Weg zwischen Mühle und Schloß gelangt.

Johannes blieb stehen und sagte:

Hier in diesem Gestrüpp habe ich einmal etwas erlebt. Ich kam eines Abends dahergegangen, wie ich es damals so oft in meiner Einsamkeit tat, es war Sommer und helles Wetter. Ich legte mich hinter die Büsche und dachte. Da kamen zwei Menschen still des Weges. Die Dame blieb stehen. Ihr Begleiter fragte: Warum bleiben Sie stehen? Da er aber keine Antwort erhält, fragt er wieder: Ist etwas im Wege? Nein, antwortete sie; aber Sie dürfen mich nicht so ansehen. Ich habe Sie nur während des Gehens so angesehen, sagte er. Ja, antwortet sie, ich weiß wohl, daß Sie mich lieben, aber mein Vater wird es nicht erlauben, verstehen Sie; es ist unmöglich. Er murmelt: Ja, es ist wohl unmöglich. Da sagt sie: Sie sind hier so breit an der Hand; Sie haben so merkwürdig breite Handgelenke! Und dabei fährt sie ihm über das Handgelenk.

Pause.

Ja, wie ging es dann weiter? fragte Camilla.

Das weiß ich nicht, anwortete Johannes. Warum sagte sie das von seinen Handgelenken?

Sie waren vielleicht schön. Und dann hatte er wohl ein weißes Hemd darüber — o doch, das verstehe ich schon. Vielleicht hatte sie ihn auch gern.

Camilla! sagte er, wenn ich Sie sehr gerne hätte und einige Jahre wartete, ich frage nur... Mit einem Wort, ich bin Ihrer nicht würdig; aber glauben Sie, daß Sie einmal mein werden könnten, wenn ich Sie nächstes Jahr oder in zwei Jahren darum bäte?

Pause.

Camilla ist plötzlich blutrot und verwirrt geworden, sie windet ihren feinen Körper hin und her und legt die Hände zusammen. Er umfaßt sie und fragt:

Glauben Sie, daß später einmal? Wollen Sie?

Ja, antwortet sie und sinkt an ihn hin.

Am Tage darauf begleitet er sie zur Landungsbrücke. Er küßt ihre kleinen Hände mit dem kindlichen, unschuldigen Ausdruck und ist voll Dankbarkeit und Freude.

Victoria war nicht dabei.

Warum hat dich niemand begleitet?

Camilla erzählt mit Schrecken in den Augen, daß das Schloß in die furchtbarste Trauer versetzt worden sei. Heute früh war ein Telegramm gekommen, der Schloßherr war leichenblaß geworden, der alte Kammerherr und seine Frau hatten vor Schmerz aufgeschrien — Otto war gestern auf der Jagd erschossen worden.

Johannes packte Camilla am Arm.

Tot? Der Leutnant?

Ja, sie sind mit seiner Leiche unterwegs. Es ist fürchterlich.

Sie gingen weiter, jedes in seine Gedanken vertieft; erst die Menschen auf der Landungsbrücke, das Schiff, die Kommandorufe weckten sie auf. Schüchtern reichte ihm Camilla die Hand, er küßte sie und sagte:

Ja, ja, ich bin deiner nicht wert, Camilla, nein, in keiner Weise. Aber ich will dir alles so schön machen, wie ich kann, wenn du mein werden willst.

Ich will dein werden. Ich habe es die ganze Zeit gewollt, die ganze Zeit.

Ich komme in einigen Tagen nach, sagte er. In einer Woche sehe ich dich wieder.

Sie war an Bord. Er winkte ihr, winkte ihr, so lange er sie erblicken konnte. Als er sich umwandte, um heimzugehen, stand Victoria hinter ihm; auch sie hatte ihr Taschentuch in der Hand und winkte zu Camilla hinüber.

Ich kam ein wenig zu spät, sagte sie.

Er antwortete nicht. Was sollte er auch sagen? Sie über ihren Verlust trösten, ihr gratulieren, ihr die Hand drücken? Ihre Stimme war so tonlos, und es war so viel Verstörtheit in ihrem Gesicht, ein großes Erlebnis war darüber hingegangen. Die Leute verließen die Brücke.

Ihr Auge ist noch rot, sagte sie und fing gleichzeitig zu gehen an. Sie sah sich nach ihm um.

Er stand da.

Da drehte sie sich auf einmal um und trat zu ihm hin. Otto ist tot, sagte sie hart, und ihre Augen brannten. Sie sagen kein Wort, Sie sind so überlegen. Er war hunderttausendmal besser als Sie, hören Sie. Wissen Sie, wie er starb? Er wurde erschossen, sein Kopf wurde zerrissen, sein ganzer kleiner, dummer Kopf. Er war hunderttausend ...

Sie brach in Schluchzen aus und begab sich mit großen, verzweifelten Schritten auf den Heimweg.

Spät am Abend klopft es bei den Müllersleuten an; Johannes öffnet die Türe und sieht hinaus.

Draußen steht Victoria und winkt ihm. Er folgt ihr. Sie ergreift heftig seine Hand und zieht ihn mit sich auf den Weg; ihre Hand ist eiskalt.

Setzen Sie sich lieber, sagt er. Setzen Sie sich und ruhen Sie ein wenig aus; Sie sind so erschöpft.

Sie setzen sich.

Sie murmelt:

Was müssen Sie von mir denken, daß ich Sie niemals in Frieden lassen kann!

Sie sind sehr unglücklich, antwortet er. Jetzt sollen Sie mir gehorchen und zur Ruhe kommen, Victoria. Kann ich Ihnen mit etwas helfen?

Sie sollen mir um Gottes willen verzeihen, was ich heute gesagt habe! bat sie. Ja, ich bin sehr unglücklich, ich bin viele Jahre lang unglücklich gewesen. Ich sagte, er sei hunderttausendmal besser gewesen als Sie; das ist nicht wahr, verzeihen Sie ihn! Er ist tot, und er war mein Verlobter, das ist alles. Glauben Sie, daß es mit meinem Willen so weit gekommen ist? Johannes, sehen Sie das hier? Es ist mein Verlobungsring, ich habe ihn vor langer Zeit bekommen, vor langer, langer Zeit; jetzt werfe ich ihn weg — werfe ihn weg! Und sie wirft den Ring in den Wald; sie hörten ihn beide niederfallen. Es war mein Vater, der es wollte. Mein Vater ist arm, er ist so arm wie ein Bettler, und Otto sollte einmal so viel Geld bekommen. Du mußt es tun, sagte mein Vater zu mir. Ich will nicht, antwortete ich. Denk an deine Eltern, sagte er, denk an das Schloß, an unsern alten Namen, an meine Ehre. Ja, dann will ich, antwortete ich, laß mir noch drei Jahre Zeit, aber ich will. Er dankte mir und wartete, Otto wartete, alle miteinander warteten; doch den Ring bekam ich sofort. So verging eine lange Zeit, und ich sah, daß nichts mehr helfen würde. Warum sollten wir länger warten? Bring mir jetzt meinen Mann, sagte ich zu meinem Vater. Gott segne dich, erwiderte er und dankte mir wieder für das, was ich tun wollte. Dann kam Otto. Ich empfing ihn nicht auf der Dampfschiffbrücke, ich stand an meinem Fenster und sah ihn vorfahren. Da lief ich zu meiner Mutter hinein und warf mich vor ihr auf die Knie. Was fehlt dir, mein Kind? fragt sie. Ich kann nicht, antwortete ich, nein, ich kann ihn nicht nehmen, er ist gekommen, er steht unten; laßt lieber mein Leben versichern, dann werde ich in der Bucht oder beim Wasserfall umkommen, das ist besser für mich. Mama wird leichenblaß und weint über mich. Mein Vater kommt herein. Ja, liebe Victoria, jetzt mußt du hinuntergehen und ihn empfangen, sagt er. Ich kann nicht, kann nicht, antwortete ich und wiederhole meine Worte von vorhin; er solle gnädig sein und mich in eine Lebensversicherung aufnehmen lassen. Er erwidert kein Wort, aber er setzt sich auf einen Stuhl und beginnt zu zittern und nachzudenken. Als ich das sehe, sage ich: Bring mir meinen Mann; ich nehme ihn.

Victoria hält inne. Sie bebt. Johannes nimmt auch ihre andere Hand und erwärmt sie.

Danke, sagt sie. Johannes, seien Sie so lieb und nehmen Sie mich fest an der Hand! Tun Sie das bitte! Mein Gott, wie warm Sie sind! Ich bin Ihnen so dankbar. Aber Sie müssen mir das verzeihen, was ich auf der Brücke sagte.

Ja, das ist schon lange vergessen. Soll ich einen Schal für sie holen?

Nein, danke. Aber ich begreife nicht, daß ich zittere, denn mein Kopf ist so heiß. Johannes, ich sollte Sie um Verzeihung bitten, für so vieles ...

Nein, nein, tun Sie das nicht. So, jetzt werden Sie ruhiger. Bleiben Sie still sitzen.

Sie hielten eine Rede auf mich. Ich wußte nichts mehr von mir selbst von dem Augenblick an, als Sie aufstanden, bis Sie sich wieder niedersetzten; ich hörte nur ihre Stimme. Sie war wie eine Orgel, und es machte mich verzweifelt, daß sie mich so betörte. Mein Vater fragte mich, weshalb ich Sie angeschrien und unterbrochen hätte; er bedauerte es sehr, aber Mutter fragte mich nicht, sie verstand es. Ich hatte meiner Mutter alles gesagt, vor vielen Jahren hatte ich ihr alles gesagt, und vor zwei Jahren, als ich aus der Stadt zurückkam, tat ich es noch einmal. Das war damals, als ich Sie getroffen hatte.

Reden wir nicht mehr davon.

Nein, aber verzeihen Sie mir, hören Sie, seien Sie barmherzig! Was, um alles in der Welt, soll ich tun? Mein Vater geht jetzt zu Hause in seinem Arbeitszimmer auf und ab, es ist so fürchterlich für ihn. Morgen ist Sonntag; er hat angeordnet, daß alle Leute frei haben sollen. Das ist das einzige, was er heute angeordnet hat. Sein Gesicht ist grau, und er spricht kein Wort; eine solche Wirkung hat der Tod seines Schwiegersohnes auf ihn. Ich erzählte meiner Mutter, daß ich zu Ihnen gehen wollte. Wir beide, du und auch ich, müssen morgen den Kammerherrn und seine Frau in die Stadt begleiten, antwortete sie. Ich gehe zu Johannes, wiederholte ich. Vater kann das Geld für uns alle drei nicht aufbringen, er selbst will zurückbleiben, antwortete sie und sprach beständig über andere Dinge. Da ging ich zur Türe. Sie sah mich an. Jetzt gehe ich zu ihm, sagte ich zum letztenmal. Meine Mutter kam mir bis zur Türe nach, küßte mich und antwortete: Ja, ja, Gott segne euch!

Johannes ließ ihre Hände los und sagte:

So, jetzt sind sie warm.

Tausend Dank, ja, jetzt bin ich ganz warm... Gott segne euch, sagte sie. Ich hatte ihr alles erzählt, sie hat es die ganze Zeit gewußt. Aber liebes Kind, wen liebst du denn? hatte sie gefragt. Kannst du noch danach fragen? hatte ich geantwortet; Johannes liebe ich, nur ihn habe ich mein ganzes Leben lang geliebt, geliebt geliebt...

Er machte eine Bewegung.

Es ist spät. Wird man daheim nicht Angst um Sie haben?

Nein, antwortete sie. Sie wissen, daß ich Sie liebe, daß Sie es sind, den ich liebe, Johannes, das haben Sie wohl gesehen? Niemand, niemand kann erfassen, wie ich mich in diesen Jahren nach Ihnen gesehnt habe. Ich bin hier auf diesem Weg gegangen und habe dabei gedacht: ich gehe jetzt lieber ein wenig neben dem Weg, mehr im Wald, da ist auch er am liebsten gegangen; so mache ich es auch. An jenem Tag, an dem ich erfuhr, daß Sie gekommen seien, kleidete ich mich hell, hellgelb, ich war krank vor Spannung und Sehnsucht und ging rastlos durch alle Türen aus und ein. Wie du heute strahlst! sagte meine Mutter. Die ganze Zeit sagte ich vor mich hin: jetzt ist er wieder heimgekommen! Er ist herrlich, und er ist zurückgekommen, dies ist er beides! Tags darauf hielt ich es nicht mehr länger aus, ich zog mich wieder hell an und ging in den Steinbruch hinauf, um Sie zu treffen. Erinnern Sie sich? Ich traf Sie auch, aber ich pflückte keine Blumen, wie ich sagte, und deshalb war ich ja auch nicht gekommen. Sie freuten sich nicht mehr, mich wiederzusehen; aber Dank, trotzdem, dafür, daß ich Sie traf. Das war im dritten Jahr. Sie hielten einen Zweig in der Hand und spielten damit, als ich kam; als Sie gegangen waren, hob ich den Zweig auf, verbarg ihn und nahm ihn mit mir nach Hause ...

Ja, aber Victoria, sagte er mit bebender Stimme, jetzt dürfen Sie mir so etwas nicht mehr sagen.

Nein, antwortete sie angstvoll und ergriff seine Hand. Nein, ich darf nicht. Nein. Sie wollen es wohl nicht. Nervös fing sie an, seine Hand zu streicheln. Nein, denn ich darf nicht erwarten, daß Sie das wollen. Und außerdem habe ich Ihnen auch so sehr weh getan. Können Sie mir nicht mit der Zeit vergeben?

Doch, doch, alles. Das ist es nicht.

Was ist es dann?

Pause.

Ich bin verlobt, antwortete er.

X

Tags darauf — am Sonntag — kam der Schloßherr in eigener Person zum Müller und bat ihn,
gegen Mittag hinaufzukommen und die Leiche des
Leutnants Otto zum Dampfschiff zu fahren. Der
Müller verstand ihn erst nicht und starrte ihn an;
aber der Schloßherr erklärte ihm kurz, daß alle
seine Leute frei hätten, sie seien in die Kirche gegangen, er habe niemand zu Hause.

Der Schloßherr hatte diese Nacht sicher nicht geschlafen, er sah aus wie ein Toter und war noch
dazu unrasiert. Doch schwang er den Spazierstock
wie immer durch die Luft und hielt sich aufrecht.

Der Müller zog seinen besten Rock an und ging.
Als er die Pferde angespannt hatte, half ihm der
Schloßherr selbst die Leiche zum Wagen hinaus-
zutragen. Alles ging still, beinahe geheimnisvoll vor
sich, niemand war anwesend und sah zu.

Der Müller fuhr zur Landungsbrücke hinunter.
Hinter ihm kamen der Kammerherr und dessen Frau,
außer ihnen die Schloßherrin und Victoria. Sie
waren alle zu Fuß. Den Schloßherrn sah man allein auf der Treppe zurückbleiben und wiederholt
grüßen; der Wind fuhr durch sein graues Haar.

Als die Leiche an Bord gebracht war, folgten ihr
die Leidtragenden aufs Schiff. Von der Reling rief
die Schloßherrin dem Müller an Land zu, er möge
den Schloßherrn grüßen, und auch Victoria bat ihn
darum.

Dann dampfte das Schiff fort. Lange blieb der
Müller stehen und sah ihm nach. Es blies ein star-

ker Wind, und die Bucht war sehr bewegt; erst nach einer Viertelstunde verschwand das Schiff hinter den Inseln. Der Müller fuhr nach Hause.

Er brachte die Pferde in den Stall, gab ihnen Futter und wollte dann dem Schloßherrn die aufgetragenen Grüße überbringen. Er fand jedoch den Kücheneingang verschlossen. Er ging rund um das Haus herum und wollte durch den Haupteingang hineingelangen; auch die Haupttür war verschlossen. Es ist Mittag, und der Schloßherr schläft, dachte er. Da er aber ein gewissenhafter Mann war, der das ausrichten wollte, was ihm aufgetragen worden war, ging er ins Gesindehaus, um dort jemand zu treffen, der dem Schloßherrn die Grüße überbringen konnte. Im Gesindehaus war niemand. Er ging wieder hinaus, suchte ringsumher und ging sogar in das Zimmer der Mädchen. Auch hier war niemand. Der ganze Hof war ausgestorben.

Eben wollte er wieder gehen, als er im Keller des Schlosses einen Lichtschimmer gewahrte. Er blieb stehen. Deutlich konnte er durch die kleinen vergitterten Fenster einen Mann sehen, der mit einem Licht in der Hand und einem roten, seidenbezogenen Polsterstuhl in der anderen den Keller betrat. Es war der Schloßherr. Er war rasiert und im Gesellschaftsanzug, als wollte er zu einem Fest gehen. Ich könnte vielleicht ans Fenster klopfen und ihn von seiner Frau grüßen, dachte der Müller, blieb aber stehen.

Der Schloßherr sah sich um, leuchtete umher und sah sich noch einmal um. Er zog einen Sack hervor, der Heu oder Stroh zu enthalten schien, und legte ihn an der Eingangstüre nieder. Danach schüttete er aus einer Kanne etwas Flüssiges über den Sack. Dann trug er Kisten, Stroh und ein altes Blumengestell zur Türe und goß auch darauf etwas aus der Kanne; der Müller bemerkte, daß er dabei sehr sorgfältig darauf achtete, weder seine Finger, noch seine Kleider zu beschmutzen. Er nahm den kleinen Kerzenstummel und stellte ihn auf den Sack, schließlich umgab er ihn vorsichtig mit Stroh. Dann setzte der Schloßherr sich auf den Stuhl.

Immer entsetzter starrte der Müller auf diese Anstalten, sein Blick war gleichsam an das Kellerfenster gebannt, und seine Seele befiel eine dunkle Ahnung. Der Schloßherr saß ganz still auf dem Stuhl und sah zu, wie das Licht immer tiefer und tiefer herunterbrannte; die Hände hielt er gefaltet. Der Müller sieht, wie er ein Staubkorn von seinem Ärmel abstreift und die Hände wieder faltet.

Da stößt der alte entsetzte Müller einen Schrei aus.

Der Schloßherr wendet den Kopf und sieht zum Fenster empor. Plötzlich springt er auf und geht bis dicht ans Fenster hin, wo er stehen bleibt und hinausstarrt. Es war ein Blick, in dem sich das Leiden der ganzen Welt widerspiegelte. Sein Mund ist eigentümlich verzerrt, er streckt seine beiden geballten Fäuste gegen das Fenster aus, drohend, stumm; schließlich droht er nur noch mit der einen Hand und geht rücklings in den Keller zurück. Als er an den Stuhl stieß, fiel das Licht um. Im gleichen Augenblick schlug eine gewaltige Flamme empor.

Der Müller schreit auf und springt fort. Einen Augenblick läuft er vor Schrecken ganz von Sinnen auf dem Hofplatz umher und weiß sich nicht zu helfen. Er läuft zum Kellerfenster, schlägt die Schei-

ben ein und ruft hinunter; dann beugt er sich nieder, packt mit seinen Fäusten die Eisenstangen und
rüttelt an ihnen, biegt sie auseinander, reißt sie
heraus.

Da hörte er eine Stimme aus dem Keller, eine
Stimme ohne Worte, ein Stöhnen, wie von einem
Toten in der Erde, zweimal ertönt es, und der Mül-
ler flieht schreckerfüllt vom Fenster fort, über den
Hofplatz weg, hinunter auf den Weg und heim.
Er wagte nicht, sich umzusehen.

Als er einige Minuten später zusammen mit Johannes zurückkam, stand das ganze Schloß, das alte
große Holzhaus, in hellen Flammen. Ein paar Leute
von der Dampfschiffbrücke waren auch hinzu-
gekommen; doch auch diese konnten nichts machen,
alles war verloren.

Der Mund des Müllers aber war stumm wie das
Grab.

XI

Fragt jemand, was die Liebe ist, so ist sie nichts als ein Wind, der in den Rosen rauscht und dann wieder dahinstirbt. Oft aber ist sie auch wie ein unzerbrechliches Siegel, das das ganze Leben lang dauert, bis zum Tode. Gott hat sie in vielerlei Arten geschaffen und hat sie bestehen oder vergehen sehen:

Zwei Mütter gehen auf einem Weg dahin und sprechen miteinander. Die eine ist in heitere blaue Gewänder gekleidet, denn ihr Geliebter ist von der Reise heimgekommen. Die andere ist in Trauer. Sie hatte drei Töchter, zwei dunkle — die dritte war blond, und die blonde starb. Es ist zehn Jahre her, zehn ganze Jahre, und doch trägt die Mutter noch Trauer um sie.

Es ist so herrlich heute! jubelt die blaugekleidete Mutter und schlägt die Hände zusammen. Die Wärme berauscht mich, die Liebe berauscht mich, ich bin voller Glück. Ich könnte mich hier auf dem Weg nackt ausziehen und meine Arme der Sonne entgegenstrecken und ihr Küsse senden.

Aber die Schwarzgekleidete ist still und lächelt nicht und antwortet nicht.

Trauerst du immer noch um dein kleines Mädchen? fragt die Blaue in der Unschuld ihres Herzens. Ist es nicht zehn Jahre her, seit sie starb?

Die Schwarze antwortet:

Doch. Jetzt würde sie fünfzehn Jahre alt sein.

Da sagt die Blaue, um sie zu trösten:

Aber du hast andere Töchter am Leben, du hast noch zwei:

Die Schwarze schluchzt:

Ja. Aber keine von ihnen ist blond. Sie, die starb, war so blond.

Und die beiden Mütter trennen sich, und jede geht ihres Weges, jede mit ihrer Liebe . . .

Aber diese beiden dunklen Töchter hatten ebenfalls jede ihre Liebe, und sie liebten den gleichen Mann.

Er kam zur Ältesten und sagte:

Ich möchte Sie um einen guten Rat bitten, denn ich liebe Ihre Schwester. Gestern war ich ihr untreu, sie überraschte mich, als ich ihr Dienstmädchen im Gang küßte; sie schrie ein wenig auf, es war wie ein leiser Jammerruf, und ging vorbei. Was soll ich nun tun? Ich liebe Ihre Schwester, sprechen Sie um Gottes willen mit ihr und helfen Sie mir!

Und die Älteste erbleichte und griff sich ans Herz; aber sie lächelte, als wollte sie ihn segnen, und antwortete:

Ich werde Ihnen helfen.

Am Tag darauf ging er zu der Jüngeren, warf sich vor ihr auf die Knie und gestand ihr seine Liebe.

Sie musterte ihn von oben bis unten und entgegnete:

Leider kann ich nicht mehr als zehn Kronen entbehren, wenn Sie das meinen sollten. Aber gehen Sie zu meiner Schwester, die hat mehr.

Damit verließ sie ihn hocherhobenen Hauptes.

Als sie aber ihr Zimmer erreicht hatte, warf sie sich auf den Boden und rang die Hände vor Liebe.

Es ist Winter und auf den Straßen kalt, Nebel, Staub und Wind. Johannes ist wieder in der Stadt, in dem alten Zimmer, wo er die Pappeln an die Holzwand klopfen hört und aus dessen Fenster er mehr als einmal den grauen Tag begrüßt hat. Jetzt ist die Sonne fort.

Seine Arbeit hatte ihn die ganze Zeit abgelenkt; er beschrieb große Bogen und sah, wie es ihrer immer mehr wurden, je mehr der Winter sich seinem Ende näherte. Es war eine Reihe von Märchen aus dem Lande seiner Phantasie, eine endlose, sonnenrote Nacht.

Aber die Tage waren verschiedenartig, die guten wechselten ab mit den schlimmen, und bisweilen, wenn er im besten Arbeiten war, konnte ein Gedanke, konnten zwei Augen, ein Wort von früher her ihn treffen und seine Stimmung plötzlich auslöschen. Dann erhob er sich und begann in seinem Zimmer von Wand zu Wand auf und ab zu gehen; oft hatte er das getan, auf seinem Boden war ein weißer Streifen entstanden, und der Streifen wurde mit jedem Tag weißer . . .

Heute, da ich nicht arbeiten, nicht denken, vor meinen Erinnerungen keine Ruhe finden kann, setze ich mich hin, um das aufzuschreiben, was ich in einer Nacht erlebt habe. Lieber Leser, ich habe heute einen so fürchterlich bösen Tag, draußen schneit es, auf der Straße geht fast kein Mensch, alles ist traurig, und meine Seele ist so entsetzlich öde. Ich bin auf der Straße umhergewandert und zuletzt stundenlang hier in meinem Zimmer auf und ab gegangen und habe versucht, mich ein wenig zu sammeln; aber jetzt ist es Nachmittag, und es ist noch nicht besser geworden. Ich, der warm sein sollte, bin kalt und bleich wie ein gestorbener Tag. Lieber Leser, in diesem Zustand will ich versuchen, von einer hellen und spannenden Nacht zu schreiben. Denn die Arbeit zwingt mich zur Ruhe, und wenn einige Stunden vergangen sind, bin ich vielleicht wieder froh . . .

Es klopft an die Türe, und Camilla Seier, seine junge heimliche Verlobte, tritt bei ihm ein. Er legt die Feder weg und erhebt sich. Sie lächeln beide und begrüßen einander.

Du fragst mich nicht nach dem Ball, sagt sie sofort und läßt sich auf einen Stuhl fallen. Ich habe jeden Tanz getanzt. Bis drei Uhr dauerte es. Ich tanzte mit Richmond.

Tausend Dank, daß du gekommen bist, Camilla. Ich bin so furchtbar traurig, und du bist so fröhlich; das wird mir helfen. Was für ein Kleid trugst du denn auf dem Ball?

Ein rotes, natürlich. Ach Gott, ich erinnere mich nicht mehr, aber ich muß viel gesprochen, viel gelacht haben. Es war so wundervoll. Ja, ich trug ein rotes Kleid, ohne Ärmel, ohne jede Andeutung von Ärmeln. Richmond ist an der Gesandtschaft in London.

Soso.

Seine Eltern sind Engländer, aber er ist hier geboren. Was hast du mit deinen Augen gemacht? Sie sind so rot. Hast du geweint?

Nein, antwortet er und lacht; ich habe in meine Märchen hineingestarrt, und da ist so viel Sonne. Camilla, wenn du recht lieb sein willst, dann zerreiße dieses Papier nicht noch mehr, als du schon getan hast.

Ach Gott, wie zerstreut ich bin! Entschuldige, Johannes!

Es tut nichts, es sind nur ein paar Notizen. Aber erzähl weiter: und du hattest wohl eine Rose im Haar?

Ja, ja. Eine rote Rose; sie war beinah schwarz. Weißt du was, Johannes, wir könnten auf unserer Hochzeitsreise nach London fahren. Es ist gar nicht so fürchterlich dort, wie man sagt, und daß es so neblig sein soll, ist nur Erfindung.

Wer hat das gesagt?

Richmond. Er sagte es heute nacht, und er weiß es. Du kennst doch Richmond?

Nein, ich kenne ihn nicht. Er hat einmal eine Rede auf mich gehalten; er trug Diamantknöpfe im Hemd, das ist alles, dessen ich mich von ihm entsinne.

Er ist ganz reizend. Nein, als er zu mir trat, sich verbeugte und sagte: Das gnädige Fräulein kennt mich vielleicht nicht mehr . . . Du, ich gab ihm die Rose.

Du gabst ihm die Rose? Was für eine Rose?

Die ich im Haar hatte. Ich gab sie ihm.

Richmond hat dir wohl sehr gut gefallen?

Sie wird rot und verteidigt sich eifrig: Nein, nein, durchaus nicht. Man kann doch einen leiden mögen, ihn schätzen, ohne daß man . . . Pfui, Johannes, du bist verrückt! Ich werde seinen Namen nie mehr erwähnen.

Gott segne dich, Camilla, aber ich meinte nicht . . . du sollst wirklich nicht glauben . . . Im Gegenteil, ich will ihm dafür danken, daß er dich unterhalten hat.

Ja, wenn du das tust — das zu tun wagst! Ich für meinen Teil werde im Leben kein Wort mehr mit ihm sprechen.

Pause.

Ja, ja, laß es jetzt gut sein, sagt er. Willst du schon gehen?

Ja, ich kann nicht länger bleiben. Wie weit bist du jetzt mit deiner Arbeit gekommen? Meine Mutter fragte danach. Denke dir, seit vielen Wochen habe ich Victoria nicht mehr gesehen, und eben traf ich sie wieder.

Jetzt?

Als ich hierher ging. Sie lächelte. Nein, du meine Güte, wie hat sie verloren! Höre, kommst du nicht bald einmal zu uns?

Doch, bald, antwortet er und springt auf. Eine Röte hat sich über sein Gesicht gelegt. Vielleicht in den nächsten Tagen. Ich will erst noch etwas schreiben, das mir in den Sinn kam, einen Schluß für meine Märchen. Oh, ich werde etwas schreiben, etwas schreiben! Stelle dir die Erde vor, von oben gesehen, wie ein herrlicher und eigentümlicher Papstmantel. In seinen Falten gehen Menschen umher, sie gehen paarweise, es ist Abend und still, die Stunde der Liebe. Es soll heißen: Das Geschlecht. Ich glaube, es wird gewaltig werden; ich habe dieses Gesicht so oft gehabt, und jedesmal ist es so, als wollte meine Brust zerspringen, und als könnte ich die Erde umarmen. Da gehen Menschen und Tiere und Vögel, und alle haben sie ihre Stunde der Liebe, Camilla. Eine Woge der Verzückung erwartet sie, die Augen werden feuriger, die Brust atmet heftig. Dann steigt eine feine Röte aus der Erde auf; es ist die Schamröte aller dieser nackten

Herzen, und die Nacht färbt sich rosenrot. Aber weit draußen im Hintergrund liegen die großen schlafenden Berge; sie haben nichts gesehen und nichts gehört. Und am Morgen wirft Gott seinen warmen Sonnenschein über alles. Das Geschlecht soll es heißen.

Wirklich?

Ja. Und wenn ich das fertig habe, werde ich kommen. Tausend Dank, weil du hier warst, Camilla. Und du sollst nicht mehr an das denken, was ich gesagt habe. Ich habe nichts Schlimmes damit gemeint.

Ich denke gar nicht mehr daran. Aber ich werde seinen Namen nie mehr erwähnen. Das werde ich nie mehr tun.

Am nächsten Vormittag kommt Camilla wieder. Sie ist bleich und ungewöhnlich unruhig.

Was fehlt dir? fragt er.

Mir? Nichts, antwortet sie rasch. Dich habe ich lieb. Du sollst wirklich nicht glauben, daß mir etwas fehlt, und daß ich dich nicht lieb habe. Nein, jetzt sollst du hören, was ich mir ausgedacht habe: wir reisen nicht nach London. Was sollen wir dort? Er wußte wohl nicht, wovon er sprach, dieser Mensch. Es ist dort mehr Nebel, als er glaubt. Du siehst mich an, weshalb tust du das? Ich habe seinen Namen durchaus nicht genannt. Solch ein Lügner! Er log mich so an; wir reisen nicht nach London.

Er sieht sie an, er wird aufmerksam.

Nein, wir reisen nicht nach London, sagt er nachdenklich.

Nicht wahr! Also, das tun wir nicht. Hast du die Geschichte von dem Geschlecht fertig? Mein Gott, wie ich mich dafür interessiere. Jetzt mußt du es aber recht bald fertig machen und zu uns kommen, Johannes. Die Stunde der Liebe, war es nicht so? Und der prachtvolle Mantel des Papstes mit den Falten, eine rosenrote Nacht, mein Gott, wie gut ich noch weiß, was du mir davon erzählt hast. Ich war in letzter Zeit nicht oft hier; aber jetzt will ich jeden Tag kommen und fragen, ob du fertig bist.

Ich werde bald fertig sein, sagt er und sieht sie immer noch an.

Heute nahm ich deine Bücher und legte sie in mein Zimmer. Ich will sie noch einmal lesen. es wird mich nicht im geringsten ermüden, ich freue mich darauf. Höre, Johannes, du könntest so lieb sein und mich nach Hause begleiten, denn ich weiß nicht, ob der Weg ganz sicher für mich ist, bis ganz nach Hause. Das weiß ich nicht. Vielleicht wartet draußen jemand auf mich, vielleicht geht jemand auf und ab und wartet. Ich glaube es fast . . . Plötzlich bricht sie in Tränen aus und stammelt: Ich nannte ihn einen Lügner, das wollte ich nicht. Es tut mir weh, daß ich es getan habe. Er hat mich nicht angelogen, im Gegenteil, er war die ganze Zeit . . . Wir werden am Dienstag Gäste bei uns haben, aber er soll nicht kommen, doch du sollst kommen, hörst du. Versprichst du mir das? Aber trotzdem wollte ich nicht schlecht von ihm sprechen. Ich weiß nicht, was du von mir hältst . . .

Er antwortete:

Ich fange an, dich zu verstehen.

Sie wirft sich ihm an den Hals, verbirgt ihr Gesicht an seiner Brust, zitternd und verstört.

Ja, aber dich habe ich auch lieb, bricht sie aus. Das mußt du mir glauben. Ich liebe nicht nur ihn, so schlimm ist es nicht. Als du mich voriges Jahr fragtest, wurde ich so froh; aber jetzt kam er. Ich verstehe es nicht. Ist es so schrecklich von mir, Johannes? Ich liebe ihn vielleicht ein ganz klein wenig mehr als dich; ich kann nichts dafür, es ist über mich gekommen. Ach Gott, viele Nächte habe ich nicht mehr geschlafen, seit ich ihn gesehen habe, und ich liebe ihn immer mehr. Was soll ich tun? Du bist so viel älter, du sollst es sagen. Nun hat er mich hierher begleitet, er steht unten und wartet auf mich, um mich wieder heimzubegleiten, und jetzt friert er vielleicht. Verachtest du mich, Johannes? Ich habe ihn nicht geküßt, nein, das habe ich nicht, glaube mir; ich habe ihm nur meine Rose gegeben. Warum antwortest du nicht, Johannes? Du mußt sagen, was ich tun soll, denn ich halte es nicht mehr aus.

Johannes saß ganz still da und hörte ihr zu. Er sagte:

Ich habe nichts darauf zu antworten.

Dank, Dank, lieber Johannes, es ist so lieb von dir, daß du nicht wütend auf mich bist, sagte sie und trocknete ihre Tränen. Aber du sollst nicht glauben, daß ich dich nicht auch lieb habe. Du lieber Gott, ich will jetzt viel öfter zu dir kommen als früher und alles tun, was du willst. Aber es ist eben nur das eine, daß ich ihn lieber habe. Ich habe es nicht gewollt. Es ist nicht meine Schuld.

Stumm erhob er sich und sagte, als er den Hut aufgesetzt hatte:

Wollen wir gehen?

Sie gingen die Treppe hinunter.

Draußen stand Richmond. Er war ein dunkelhaariger, junger Mensch mit braunen Augen, die vor Jugend und Leben sprühten. Der Frost hatte seine Wangen gerötet.

Frieren Sie? sagte Camilla und flog auf ihn zu.

Ihre Stimme bebte vor Erregung. Plötzlich eilte sie zu Johannes zurück, schob ihren Arm in den seinen und sagte:

Entschuldige, daß ich nicht auch dich fragte, ob du frierst. Du zogst keinen Mantel an; soll ich hinaufgehen, um ihn zu holen? Ja, aber knöpfe auf jeden Fall deine Jacke zu.

Sie knöpfte seine Jacke zu.

Johannes reichte Richmond die Hand. Er war in einem merkwürdig abwesenden Zustand, als ginge das, was hier geschah, ihn eigentlich gar nichts an. Er lächelte unsicher, halb und halb, und murmelte:

Freut mich, Sie wieder einmal zu treffen.

Richmond war keine Schuld anzusehen und keine Verstellung. Als er grüßte, flog die Freude des Wiedererkennens über sein Gesicht, und er zog den Hut tief ab.

Ich sah kürzlich eines Ihrer Bücher in einem Buchladen in London, sagte er. Es ist übersetzt. Es war so nett, es dort zu sehen, wie ein Gruß aus der Heimat.

Camilla ging in der Mitte und sah abwechselnd zu beiden auf. Schließlich sagte sie:

Dann kommst du also am Dienstag, Johannes. Ja, entschuldige, daß ich nur an meine Angelegenheiten denke, fügte sie hinzu und lachte. Gleich darauf aber wandte sie sich reuig an Richmond und bat auch ihn zu kommen. Es seien nur Bekannte da, Victoria und ihre Mutter seien auch geladen, und sonst käme noch ein halbes Dutzend Gäste.

Plötzlich blieb Johannes stehen und sagte:

Ich könnte eigentlich wieder umkehren.

Auf Wiedersehen am Dienstag, antwortete Camilla.

Richmond ergriff seine Hand und drückte sie aufrichtig.

Dann gingen die beiden jungen Leute allein und glücklich ihres Weges.

XII

Die blaugekleidete Mutter war in der entsetz-
lichsten Spannung, sie erwartete jeden Augenblick
ein Signal aus dem Garten, und der Weg war nicht
frei, niemand konnte den Garten durchqueren, so-
lange ihr Mann nicht das Haus verlassen hatte.
Ach, dieser Mann, dieser Mann mit seinen vierzig
Jahren und der Glatze! Was war das nur für ein
unheimlicher Gedanke, der ihn heute abend so
bleich machte und ihn in seinem Stuhl zurückhielt,
ihn unerschütterlich, unerbittlich in seine Zeitung
starren ließ?

Sie fand nicht eine Minute Ruhe; jetzt war es
elf Uhr. Die Kinder hatte sie vor langer Zeit zu
Bett gebracht; aber der Mann wollte nicht gehen.
Wie, wenn das Signal ertönte, die Türe mit dem
kleinen, lieben Schlüssel geöffnet wurde — und
zwei Männer einander träfen, Angesicht in Angesicht dastünden und einander in die Augen blickten! Sie wagte nicht, diesen Gedanken zu Ende zu
denken.

Sie ging in die finsterste Ecke des Zimmers, rang
die Hände und sagte endlich gerade heraus:

Es ist jetzt elf Uhr. Wenn du noch in den Klub
willst, dann mußt du jetzt gehen.

Er erhob sich mit einem Ruck, noch bleicher als
zuvor, und ging aus dem Zimmer, aus dem Haus.
Vor dem Garten bleibt er stehen und lauscht auf
einen Pfiff, auf ein kleines Signal. Man hört Schritte
im Kies, ein Schlüssel wird in das Schloß der Haus-

türe gesteckt und umgedreht; — dann sieht man kurz darauf zwei Schatten auf dem Vorhang des Fensters.

Und er kannte das Signal von früher, die Schritte und die beiden Schatten auf dem Vorhang, alles war ihm bekannt.

Er geht zum Klubhaus. Es ist offen, in den Fenstern ist Licht; doch er geht nicht hinein. Zwei Viertelstunden lang treibt er sich so in den Straßen umher und vor seinem Garten auf und ab, zwei unendliche Viertelstunden. Ich will noch eine Viertelstunde warten! denkt er und verlängert die Zeit auf drei. Dann geht er in den Garten, steigt die Treppe hinauf und läutet an seiner eigenen Türe.

Das Mädchen kommt und schließt auf, steckt den Kopf ein wenig zur Tür hinaus und sagt:

Die gnädige Frau ist schon lange . . .

Da erkennt sie, wen sie vor sich hat und hält inne.

Jawohl, zur Ruhe gegangen, antwortet er. Wollen Sie der gnädigen Frau sagen, daß ihr Mann heimgekommen ist?

Und das Mädchen geht. Sie klopft bei der gnädigen Frau an und richtet ihren Auftrag durch die geschlossene Türe aus:

Ich soll ausrichten, daß der Herr zurückgekommen ist.

Die Frau fragt innen:

Was sagst du, der Herr ist zurückgekommen? Von wem sollst du das ausrichten?

Vom Herrn selber. Er steht draußen.

Da ertönt ein ratloser Jammer im Zimmer der gnädigen Frau, es wird eifrig geflüstert, eine Türe geht auf und wird wieder geschlossen. Dann wird alles still.

Und der Herr tritt ein. Seine Frau geht ihm entgegen, den Tod im Herzen.

Der Klub war geschlossen, sagt er sofort aus Gnade und Barmherzigkeit. Ich ließ dich erst benachrichtigen, um dir nicht Angst zu machen.

Sie fällt auf einen Stuhl, getröstet, befreit, gerettet. In dieser glückseligen Stimmung strömt ihr gutes Herz über, und sie fragt ihren Mann nach seinem Befinden:

Du bist so bleich. Fehlt dir etwas, Liebster?

Ich friere nicht, antwortet er.

Oder ist dir etwas zugestoßen? Dein Gesicht ist so seltsam verzerrt.

Der Mann antwortet:

Nein, ich lächle. Das soll meine Art zu lächeln vorstellen. Ich will, daß diese Grimasse eine Eigenart von mir sein soll.

Sie hört diese kurzen, heiseren Worte und begreift sie nicht, kann sie nicht fassen. Was meint er wohl?

Plötzlich schlingt er seine Arme um sie, eisenhart, mit schrecklicher Kraft, und flüstert dicht an ihrem Gesicht:

Was meinst du, wenn wir ihm Hörner aufsetzten . . . ihm, der fortging . . . wenn wir ihm Hörner aufsetzten?

Sie stößt einen Schrei aus und ruft dem Mädchen.

Mit einem stillen, trockenen Lachen läßt er sie los, während er den Mund weit aufreißt und sich auf beide Schenkel schlägt.

Am Morgen gewann das gute Herz der Frau wieder die Oberhand, und sie sagt zu ihrem Mann:

Du hattest gestern abend einen merkwürdigen Anfall; es ist ja jetzt vorbei, aber du bist auch heute noch bleich.

Ja, antwortet er, es ist anstrengend, in meinem Alter geistreich zu sein. Das werde ich nie mehr versuchen.

Aber nachdem der Mönch Vendt von so vielen Arten der Liebe gesprochen hat, erzählt er von noch einer Art und sagt:

Denn so berauschend ist eine besondere Art der Liebe!

Die jungen Herrschaften sind eben heimgekehrt, ihre lange Hochzeitsreise ist zu Ende, und sie begeben sich zur Ruhe.

Eine Sternschnuppe erstrahlte über ihrem Dach.

Im Sommer gingen die jungen Herrschaften miteinander und wichen eines nicht von des andern Seite. Sie pflückten gelbe, rote und blaue Blumen, die sie einander schenkten, sie sahen das Gras sich im Winde bewegen und hörten die Vögel im Walde singen, und jedes Wort, das sie sprachen, war wie eine Liebkosung. Im Winter fuhren sie mit Pferden, die Glocken trugen, und der Himmel war blau, und hoch oben rauschten die Sterne über unendliche Ebenen dahin.

So vergingen viele, viele Jahre. Die jungen Herrschaften bekamen drei Kinder, und ihre Herzen liebten einander wie am ersten Tag beim ersten Kuß. Da erfaßte den stolzen Herrn seine Krankheit, diese Krankheit, die ihn so lange ans Bett fesselte und die Geduld seiner Frau auf eine so harte Probe stellte. Als er wieder gesund war und vom Bett aufstand, erkannte er sich nicht wieder; die

Krankheit hatte ihn entstellt und ihn seiner Haare beraubt.

Er litt und grübelte. Eines Morgens sagte er: Jetzt liebst du mich wohl nicht mehr?

Aber errötend schlang seine Frau die Arme um ihn und küßte ihn so leidenschaftlich wie im Frühling der Jugend und antwortete:

Ich, ich liebe, liebe dich immer. Ich vergesse nie, daß ich es war und keine andere, die du nahmst und die so glücklich wurde.

Und sie ging in ihr Zimmer und schnitt all ihr blondes Haar ab, um ihrem Mann, den sie liebte, zu gleichen.

Und wieder vergingen viele, viele Jahre, die junge Herrschaft wurde alt, und ihre Kinder waren erwachsen. Wie früher teilten sie immer noch jedes Glück; im Sommer gingen sie immer noch ins Freie und sahen das Gras wogen, und im Winter hüllten sie sich in ihre Pelze und fuhren unter dem Sternenhimmel dahin. Und ihre Herzen waren immer noch warm und froh wie von seltsamem Wein.

Da wurde die Frau lahm. Die alte Frau konnte nicht mehr gehen, sie mußte in einem Fahrstuhl gefahren werden, und der Herr selbst schob sie. Aber die Frau litt durch dieses Unglück unsäglich, und ihr Gesicht bekam tiefe Furchen vor Trauer.

Da sagte sie eines Tages:

Ich würde jetzt gern sterben. Ich bin so lahm und häßlich, und dein Gesicht ist so schön, du kannst mich nicht mehr so lieben wie früher.

Aber der Herr umarmt sie, rot vor Bewegung und antwortet:

Ich, ich liebe dich mehr, mehr als mein Leben, du Liebe, liebe dich wie am ersten Tag, wie in der ersten Stunde, als du mir die Rose gabst. Erinnerst du dich? Du reichtest mir die Rose und sahst mich mit deinen schönen Augen an; die Rose duftete wie du, du errötetest wie sie, und alle meine Sinne wurden berauscht. Aber noch mehr liebe ich dich jetzt, du bist schöner als in deiner Jugend, und mein Herz dankt dir und segnet dich für jeden Tag, den du mein gewesen bist.

Der Herr geht in sein Zimmer, gießt Säure über sein Gesicht, um es zu verunstalten, und sagt zu seiner Frau:

Ich hatte das Unglück, Säure in mein Gesicht zu bringen, meine Wangen sind voller Brandwunden, du liebst mich wohl jetzt nicht mehr?

Oh, du mein Bräutigam, mein Geliebter! stammelt die alte Frau und küßt seine Hände. Du bist schöner als irgendein Mann auf Erden, deine Stimme macht mir noch heute das Herz heiß, und ich liebe dich bis in den Tod.

XIII

Johannes trifft Camilla auf der Straße; sie ist in Gesellschaft ihrer Mutter, ihres Vaters und des jungen Richmond; sie lassen den Wagen anhalten und sprechen freundlich mit ihm.

Camilla erfaßt seinen Arm und sagt:

Du bist nicht zu uns gekommen. Wir hatten ein großes Fest, wirklich; wir warteten bis zuletzt auf dich, aber du kamst nicht.

Ich war verhindert, antwortete er.

Entschuldige, daß ich seitdem nicht mehr bei dir oben war, fuhr sie fort. Ich komme jetzt in den nächsten Tagen, ganz bestimmt, wenn Richmond abgereist ist. Ach, wie schön unser Fest war! Victoria wurde krank, sie mußte heimgefahren werden, hast du es gehört? Jetzt besuche ich sie bald. Es geht ihr jetzt gewiß viel besser. Vielleicht ist sie schon wieder ganz gesund. Ich habe Richmond ein Medaillon geschenkt, fast das gleiche wie dir. Höre Johannes, du mußt mir versprechen, besser auf deinen Ofen achtzugeben; du vergißt alles, wenn du schreibst, und es wird eiskalt bei dir. Du mußt dem Mädchen klingeln.

Ja, ich werde dem Mädchen klingeln, antwortete er.

Auch Frau Seier sprach mit ihm, fragte nach seiner Arbeit, nach dem Geschlecht; wie es damit ginge? Sie erwarte schon mit Sehnsucht das nächste Buch von ihm.

Johannes gab die nötigen Antworten, grüßte sehr tief und sah den Wagen fortfahren. Wie wenig ging ihn doch das Ganze an, dieser Wagen, diese Menschen, dieses Geschwätz! Eine leere und kalte Stimmung überkam ihn und verfolgte ihn auf dem ganzen Heimweg. Auf der Straße vor seinem Haustor ging ein alter Bekannter auf und ab, der frühere Hauslehrer aus dem Schloß.

Johannes grüßte ihn.

Der Hauslehrer trug einen langen, warmen und sorgfältig gebürsteten Mantel und hatte einen kekken und sicheren Gesichtsausdruck.

Hier sehen Sie Ihren Freund und Kollegen vor sich, sagte er. Reichen Sie mir die Hand, junger Mann. Gott hat meine Wege seit dem letztenmal wunderbar geführt, ich bin verheiratet, habe ein Heim, einen kleinen Garten, eine Frau. Es geschehen noch Wunder im Leben. Haben Sie zu dieser meiner letzten Bemerkung etwas zu äußern?

Johannes sieht ihn erstaunt an.

Also: einverstanden. Ja. Sehen Sie, ich habe ihren Sohn unterrichtet. Sie hat einen Sohn, Poden, er stammt aus der ersten Ehe; sie ist natürlich schon verheiratet gewesen, sie war Witwe. Ich habe mich also mit einer Witwe verheiratet. Sie können einwenden, dies sei nicht an meiner Wiege gesungen worden; aber ich verheiratete mich also mit einer Witwe. Poden hatte sie von früher. Ich ging nämlich umher und sah den Garten und die Witwe an und lebte eine Zeitlang in intensiven diesbezüglichen Gedanken. Plötzlich bin ich mit mir im reinen, und ich sage zu mir selbst: Allerdings, an deiner Wiege ist dir das nicht gesungen worden und so weiter; aber ich tue es trotzdem, ich schlage ein, denn es steht wahrscheinlich in den Sternen geschrieben. Sehen Sie, so ging das zu.

Ich gratuliere! sagte Johannes.

Halt! Kein Wort mehr! Ich weiß, was Sie sagen wollen. Und die Erste, wollen Sie nämlich sagen — haben Sie die ewige Liebe Ihrer Jugend vergessen? Genau das wollen Sie sagen. Darf ich dann meinerseits Sie fragen. Höchstverehrter, wo meine erste, einzige und ewige Liebe geblieben ist? Nahm sie nicht einen Kapitän der Artillerie? Übrigens stelle ich Ihnen noch eine kleine Frage: Haben Sie jemals, jemals gesehen, daß ein Mann die bekommen hat, die er bekommen sollte? Ich nicht. Es geht die Sage von einem Mann, den Gott erhörte, er bekam seine erste und einzige Liebe. Aber das führte zu keiner weiteren Herrlichkeit für ihn. Weshalb nicht? werden Sie wiederum fragen, und sehen Sie, ich antworte Ihnen: Aus der kleinen Ursache, daß sie gleich danach starb — gleich danach, hören Sie, hahaha, augenblicklich danach. So ist es immer. Natürlich bekommt man nicht die Frau, die man haben will; kommt es aber aus rein verfluchtem Recht und billiger Gerechtigkeit ein einziges Mal vor, dann stirbt sie also gleich danach. Alles Spiegelfechterei. Da ist also der Mann darauf angewiesen, sich eine andere Liebe, eine der bestmöglichen Art zu verschaffen, und er braucht um dieser Veränderung willen nicht zu sterben. Ich sage Ihnen, es ist von der Natur so weise eingerichtet, daß er es ausgezeichnet aushält. Sehen Sie mich nur an.

Johannes sagte:

Ich sehe, daß es Ihnen gut geht.

Ausgezeichnet, was das betrifft. Hört, fühlt und seht! Ist ein Meer von unerträglichen Sorgen über mich hinweggegangen? Ich habe Kleider, Schuhe,

Haus und Heim, eine Frau, Kinder — na, Poden meine ich. Was ich sagen wollte, was also meine Geliebte betrifft, diese Frage will ich auf der Stelle beantworten. Oh, mein junger Kollege, ich bin älter als Sie und von der Natur vielleicht ein bißchen besser ausgerüstet worden. Ich habe meine Gedichte in der Schublade verwahrt. Sie sollen nach meinem Tode herausgegeben werden. Dann erleben Sie ja kein Vergnügen mehr daran, werden Sie einwenden? Da irren Sie sich wieder. Vorläufig nämlich erfreue ich mein Haus damit. Am Abend, wenn die Lampe angezündet ist, mache ich die Lade auf, nehme meine Gedichte heraus und lese sie meiner Frau und Poden vor. Die eine ist vierzig Jahre alt, der andere zwölf, beide sind entzückt. Wenn Sie einmal zu uns kommen, sollen Sie ein Abendessen und Toddy haben. Jetzt sind Sie eingeladen, möge Gott Sie vor dem Tod bewahren.

Er reichte Johannes die Hand. Plötzlich fragte er: Haben Sie von Victoria gehört?

Von Victoria? Nein. Doch, ich hörte soeben, vor einem Augenblick...

Haben Sie nicht gesehen, wie sie dahinsiechte, immer dunkler unter den Augen wurde?

Ich habe sie seit dem Frühjahr daheim nicht mehr gesehen. Ist sie noch krank?

Der Hauslehrer antwortete komisch hart und stampfte mit dem Fuß:

Ja.

Ich hörte eben jetzt... Nein, ich habe nicht gesehen, wie sie dahinsiechte. Ich habe sie nicht getroffen. Ist sie sehr krank?

Sehr. Wahrscheinlich bereits tot. Verstehen Sie.

Betäubt sah Johannes den Mann an, dann seine Türe, als wüßte er nicht, ob er hineingehen oder stehenbleiben solle, sah wiederum den Mann an, seinen langen Mantel, seinen Hut; er lächelte verwirrt und schmerzlich wie ein Mensch in größter Not.

Drohend fuhr der alte Hauslehrer fort:

Wieder ein Beispiel; können Sie es leugnen? Auch sie bekam nicht den, den sie haben wollte, ihren Liebsten aus den Kinderjahren, einen jungen, herrlichen Leutnant. Er ging eines Abends auf die Jagd, ein Schuß trifft ihn mitten in die Stirne und zerschmettert seinen Kopf. Da lag er nun, ein Opfer der kleinen Spiegelfechterei, die Gott mit ihm vorhatte. Victoria, seine Braut, fängt an zu kränkeln, ein Wurm nagte an ihr, durchlöcherte ihr Herz wie ein Sieb; wir, ihre Freunde, sahen es. Da ging sie vor etlichen Tagen in eine Gesellschaft zu einer Familie Seier; sie erzählte mir übrigens, daß auch Sie hätten dort sein sollen, aber nicht gekommen seien. Kurz und gut, sie übernimmt sich bei diesem Fest, die Erinnerungen an ihren Geliebten stürmen auf sie ein, sie ist aus Trotz lebhaft, sie tanzt den ganzen Abend, tanzt wie rasend. Da fällt sie um, der Boden färbt sich rot unter ihr; man hebt sie auf, trägt sie hinaus, bringt sie heim. Sie treibt es nicht mehr lange.

Der Hauslehrer tritt dicht an Johannes heran und und sagt hart:

Victoria ist tot.

Wie ein Blinder griff Johannes mit den Händen um sich.

Tot? Wann starb sie? Also, Victoria ist tot?

Sie ist tot, antwortet der Hauslehrer. Sie starb heute morgen, heute vormittag. Er schob die Hand in seine Tasche und zog einen dicken Brief hervor. Und diesen Brief an Sie vertraute sie mir an. Hier ist er. Nach meinem Tode, sagte sie. Sie ist tot. Ich übergebe Ihnen diesen Brief. Meine Mission ist zu Ende.

Und ohne zu grüßen, ohne noch ein Wort zu sagen, wandte der Hauslehrer sich um, ging langsam die Straße hinunter und verschwand.

Johannes blieb zurück, den Brief in seiner Hand. Victoria war tot. Immer wieder nannte er laut ihren Namen, und er hatte eine gefühllose, beinah verhärtete Stimme. Er sah den Brief an und erkannte die Schrift; es waren große und kleine Buchstaben, gerade Linien, und die, die sie geschrieben hatte, war tot!

Dann tritt er durch die Türe, geht die Treppe hinauf, sucht den richtigen Schlüssel für das Schloß und öffnet. Sein Zimmer war kalt und dunkel. Er setzt sich ans Fenster und liest im letzten Rest des Tageslichts Victorias Brief.

Lieber Johannes! schrieb sie. Wenn Sie diesen Brief hier lesen, bin ich tot. Alles ist jetzt so seltsam für mich, ich schäme mich nicht mehr vor Ihnen und schreibe Ihnen wieder, gleichsam als sei dem nichts im Wege. Früher, als ich noch mitten im lebendigen Leben war, hätte ich lieber Tag und Nacht gelitten als wieder an Sie geschrieben; jetzt aber habe ich angefangen abzusterben und denke nicht mehr so. Fremde Menschen haben mich bluten sehen, der Doktor hat mich untersucht und gesehen, daß ich nur noch einen Teil einer Lunge habe, wofür soll ich mich da noch schämen?

Ich habe nun im Bett gelegen und über die letzten Worte nachgedacht, die ich zu Ihnen gesagt habe. Im Wald, an jenem Abend. Damals dachte ich nicht, daß dies meine letzten Worte sein sollten, denn dann hätte ich Ihnen gleichzeitig Lebewohl gesagt und Ihnen gedankt. Jetzt werde ich Sie nicht mehr sehen können, und ich breue jetzt, daß ich mich nicht vor Ihnen niedergeworfen und Ihre Schuhe und die Erde, auf der sie gingen, geküßt und Ihnen nicht gezeigt habe, wie unsäglich ich Sie liebte. Ich lag hier und wünschte gestern und heute, ich möchte doch nicht zu krank sein, damit ich wieder heimkommen und in den Wald gehen könnte, um den Platz zu finden, an dem wir saßen, als Sie meine beiden Hände hielten; denn dann könnte ich mich dort hinlegen und sehen, ob ich nicht eine Spur von Ihnen fände, und könnte alles Heidekraut ringsum küssen. Aber ich kann jetzt nicht heimkommen, wenn es nicht möglicherweise etwas besser wird, wie meine Mutter glaubt.

Lieber Johannes! Es ist merkwürdig, zu denken, daß ich nichts anderes ausgerichtet habe, als auf die Welt zu kommen und Sie zu lieben, und jetzt vom Leben Abschied zu nehmen. Glauben Sie mir, es ist sonderbar, hier zu liegen und auf Tag und Stunde zu warten. Schritt für Schritt entferne ich mich vom Leben und von den Menschen auf der Straße und von dem Wagengerassel; auch den Frühling werde ich wohl nie mehr sehen, und diese Häuser und Straßen und die Bäume im Park werden nach mir zurückbleiben. Heute durfte ich im Bett aufsitzen und ein wenig zum Fenster hinaussehen. Unten an der Ecke trafen zwei einander, sie grüßten einander und reichten sich die Hände und lachten über das, was sie sagten; da aber war es so sonderbar für mich, daß ich, die hier lag und dies sah, sterben solle. Ich mußte denken: die beiden da unten wissen nicht, daß ich hier liege und auf meine Stunde warte; wüßten sie es aber, würden sie wohl trotzdem einander begrüßen und miteinander sprechen, genau wie jetzt. Gestern nacht, als es dunkel wurde, dachte ich, dies sei meine letzte Stunde, mein Herz fing an stillzustehen, und es war gleichsam, als hörte ich schon in weiter Ferne die Ewigkeit mir entgegenrauschen. Im nächsten Augenblick aber kehrte ich von weit her zurück und fing wieder an zu atmen. Es war ein ganz unbeschreibliches Gefühl. Aber Mutter glaubt, es sei vielleicht nur der Fluß oder der Wasserfall von daheim gewesen, an den ich mich erinnert habe.

Lieber Gott, Sie sollten wissen, wie ich Sie geliebt habe, Johannes. Ich konnte es Ihnen nicht zeigen, es hat sich mir so vieles in den Weg gelegt, vor allen anderen Dingen meine eigene Natur. Mein Vater tat sich selbst auch immer so weh, und ich bin seine Tochter. Aber jetzt, da ich sterben soll und es für alles zu spät ist, schreibe ich Ihnen noch einmal und sage es Ihnen. Ich frage mich selbst, warum ich es tue, da es doch gleichgültig für Sie ist, besonders wenn ich einmal nicht mehr am Leben sein werde; aber ich möchte Ihnen gern bis zum letzten Augenblick nahe sein, damit ich mich wenigstens nicht verlassener fühle als vorher. Wenn Sie dies lesen werden, ist es gleichsam, als sähe ich Ihre Schultern und Hände und sähe alle Ihre Bewegungen, wie Sie den Brief vor sich hinhalten und ihn lesen. Dann sind wir nicht so weit voneinander entfernt, denke ich. Ich kann keinen Boten nach Ihnen senden, dazu habe ich kein Recht. Mutter wollte schon vor zwei Tagen nach Ihnen senden, aber ich wollte lieber schreiben. Ich wollte auch am liebsten, daß Sie sich meiner so erinnern sollten, wie ich einmal war, als ich noch nicht krank war. Ich erinnere mich, daß Sie . . . (hier sind einige Worte ausgelassen) . . . meine Augen und meine Augenbrauen; aber auch die sind nicht mehr so wie früher. Auch aus diesem Grunde wollte ich nicht, daß Sie kämen. Und ich möchte Sie auch bitten, mich nicht im Sarg anzusehen. Ich werde zwar fast so aussehen, wie zu der Zeit, als ich noch lebte, nur etwas bleicher, und ich werde ein gelbes Kleid anhaben, aber trotzdem würden Sie es bereuen, wenn Sie kämen und mich sähen.

Nun habe ich heute schon viele Male an diesem Brief geschrieben und doch habe ich Ihnen nicht den tausendsten Teil von dem gesagt, was ich sagen wollte. Es ist so fürchterlich für mich, zu sterben, ich will es nicht, noch hoffe ich so innig zu Gott, daß es vielleicht ein wenig besser werden könnte, wenn auch nicht länger als bis zum Frühling. Da sind die Tage hell, und an den Bäumen ist Laub. Wenn ich jetzt wieder gesund würde, dann wäre ich gewiß nie wieder böse gegen Sie, Johannes. Wie habe ich darüber nachgedacht und geweint! Ach, ich würde hinausgehen und alle Steine auf der Straße streicheln und an jeder Treppenstufe, an der ich vorbeikäme, anhalten und ihr danken und gut gegen alle sein. Es wäre ganz gleich, wie schlecht es mir auch erginge, wenn ich nur leben dürfte. Nie mehr würde ich über etwas klagen, nein, ich würde dem, der mich überfiele und schlüge, zulächeln und Gott loben und danken, wenn ich nur leben dürfte. Mein Leben ist so ungelebt, für niemand habe ich etwas tun können, und dieses verfehlte Leben soll jetzt enden. Wenn Sie wüßten, wie ungern ich sterbe, würden Sie vielleicht etwas tun, würden alles tun, was in Ihrer Macht stünde. Sie können freilich nichts tun; aber ich dachte, wenn Sie und die ganze Welt für mich beteten und mich nicht fortlassen wollten, würde Gott mir das Leben schenken. Oh, wie dankbar wollte ich da sein und nie mehr jemand etwas Böses tun, sondern allem zulächeln, was mir beschieden wäre, wenn es mir nur erlaubt wäre zu leben.

Mutter sitzt da und weint. Sie saß auch die ganze Nacht hier und weinte um mich. Das tut mir ein wenig wohl, es mildert die Bitterkeit des Abschieds. Heute dachte ich auch: was würden Sie wohl denken, wenn ich eines Tages auf der Straße schön gekleidet gerade auf Sie zukäme und nichts Verletzendes mehr sagen würde, sondern Ihnen eine Rose gäbe, die ich schon vorher gekauft haben könnte. Dann dachte ich gleich wieder daran, daß ich nie mehr das tun kann, was ich will; denn ich kann wohl nie mehr wieder gesund werden, ehe ich sterbe. Ich weine so oft, ich liege still da und weine unaufhörlich und trostlos; es tut mir in der Brust nicht weh, wenn ich nicht schluchze. Johannes, lieber, lieber Freund, mein einziger Geliebter auf der Erde, kommen Sie jetzt zu mir und seien Sie ein wenig hier, wenn es zu dunkeln beginnt. Ich werde dann nicht weinen, sondern lächeln, nur vor Freude darüber, daß Sie gekommen sind.

Nein, wo sind mein Stolz und mein Mut! Ich bin jetzt nicht die Tochter meines Vaters; aber das kommt daher, daß die Kräfte mich verlassen haben. Ich habe lange Zeit gelitten, Johannes, lange vor diesen letzten Tagen. Ich litt, als Sie im Ausland waren, und später dann, seit ich im Frühling hierher in die Stadt kam, habe ich jeden Tag nur gelitten. Ich habe nie vorher gewußt, wie unendlich lang die Nacht sein kann. Ich habe Sie in dieser Zeit zweimal auf der Straße gesehen, das eine Mal summten Sie vor sich hin, als Sie an mir vorbeigingen — aber Sie sahen mich nicht. Ich hoffte, Sie bei Seiers sehen zu können; aber Sie kamen nicht. Ich hätte nicht mit Ihnen gesprochen, noch hätte ich mich gerade vor Sie hingestellt, sondern wäre nur dankbar gewesen, Sie von weitem sehen zu dürfen. Aber Sie kamen nicht. Da dachte ich, daß Sie vielleicht um meinetwillen nicht gekommen wären. Um elf Uhr fing ich zu tanzen an, weil ich es nicht aushielt, länger zu warten. Ja, Johannes, ich habe Sie geliebt, in meinem ganzen Leben nur Sie geliebt. Victoria ist es, die dieses schreibt, und Gott liest es über meine Schultern.

Und jetzt muß ich Ihnen Lebewohl sagen, es ist nun beinahe dunkel, und ich sehe nicht mehr. Leben Sie wohl, Johannes, Dank für jeden Tag! Wenn ich von der Erde wegfliege, werde ich Ihnen noch einmal bis zum letzten Augenblick danken und auf dem ganzen Weg Ihren Namen vor mich hinsagen. So leben Sie denn wohl für Ihr ganzes Leben und verzeihen Sie mir, was ich Ihnen angetan habe, und daß ich mich nicht vor Ihnen niederwerfen und deswegen um Vergebung habe bitten können. Ich tue es nun in meinem Herzen. So leben

Sie wohl, Johannes, und für immer Lebewohl. Und noch einmal Dank für jeden einzigen Tag und jede Stunde. Ich kann nicht mehr.

Ihre Victoria.

Nun habe ich die Lampe anzünden lassen, und es ist viel heller für mich. Ich habe in tiefem Schlaf gelegen und bin wieder weit fort von der Erde gewesen. Gott sei Dank, es war nicht so unheimlich für mich wie früher, ich hörte sogar ein wenig Musik, und vor allem war es nicht dunkel. Ich bin so dankbar. Aber jetzt habe ich keine Kräfte mehr zum Schreiben. Leb wohl, mein Geliebter . . .

Weitere Bücher

von

KNUT HAMSUN

und andere Bücher

aus dem

PAUL LIST VERLAG

Das Gesamtwerk

von Knut Hamsun erscheint neu

IM PAUL LIST VERLAG

Pan	Die Liebe ist hart
Segen der Erde	Kämpfende Kräfte
Mysterien	Der Wanderer
Hunger	Landstreicher
Schwärmer	August Weltumsegler
Neue Erde	Nach Jahr und Tag
Redakteur Linge	Das letzte Kapitel
Die Weiber am Brunnen	Der Ring schließt sich

und seine Novellen, Erzählungen, Reisebilder,

Gedichte und Dramen

MAX DAUTHENDEY

Die schönsten Geschichten

Auflage auf starkem, holzfreien Papier. 46.-55. Tsd. 160 Seiten.

Halblwd. DM 6.80

Schönheitstrunkene Augen und ein das Lob der Erde in immer
neuen Tönen singender Mund leben in dem Weltwanderer
Dauthendey, der seine Heimat mit glühendem Herzen liebte.
Aus der Fülle seiner Erzählungen und Gedichte ist hier das
Schönste ausgewählt.

PAUL BERTOLOLY

Passion

Leidenschaften und Läuterungen. 372 Seiten. Halblwd. 9.80

Um die Romane „Das Opfer" und „Eine Frau geht vorbei"
gruppieren sich hinreißende Liebesgeschichten voll Zartheit und
Leidenschaft.
So verschiedenartig die Lebensläufe auch sind, die der Krieg
umwittert, immer vollendet sich ein ganzes hingegebenes Leben
auf dem Wege, der von der Verwirrung zur Klarheit, von der
Glut zu reinem Lichte führt. Aus Seelenqual und Sinnentaumel,
die das Menschengeschlecht anfallen, hebt sich schließlich alle
Passion in jener ewigen Liebe auf, die die irdische umfaßt. An
der behutsamen Feinfühligkeit der Darstellung, die doch unerbittlich in die Tiefe dringt, spürt man die hohe Kunst des
seelisch erfahrenen Arztes.

PAUL LIST VERLAG

Das dichterische Gesamtwerk von

Margarete zur Bentlage

Hermann Eris Busse

Max Dauthendey

Antonio Foggazzaro

Carl Hauptmann

Rudyard Kipling

Jakob Kneip

Gustav Meyrink

Martin Raschke

Karl Röttger

F. A. Schmid Noerr

Wilhelm von Scholz

Hermann Stehr

Walter Vollmer

IM PAUL LIST VERLAG